TAITH Y TREIGLADAU

THE TREIGLADAU TOUR

Taith y Treigladau
The Treigladau Tour

PAT CLAYTON

Cartwnau gan Andrew Maclean

GWASG Carreg Gwalch

Argraffiad cyntaf: Gorffennaf 1999

ⓗ *Pat Clayton/Gwasg Carreg Gwalch*

Rhif Llyfr Safonol Rhyngwladol:
0-86381-585-5

Cynllun y clawr: Alan Jones
Llun y clawr: Andrew Maclean

Argraffwyd a chyhoeddwyd gan Wasg Carreg Gwalch,
12 Iard yr Orsaf, Llanrwst, Dyffryn Conwy LL26 0EH.
☎ *(01492) 642031* 🖨 *(01492) 641502*
e-bost: llyfrau@carreg-gwalch.co.uk
lle ar y we: www.carreg-gwalch.co.uk

Diolchiadau

Diolch o galon i Cynthia Davies am ei chefnogaeth barhaol ac i Saunders Davies am ei gymorth parod. Diolch yn arbennig i'r dysgwyr Del Yale, Ann Yale a Daphne Rogers am eu sylwadau ar y drafft cyntaf. Diolch hefyd i Elinor Bennett am gytuno i fod yn gartŵn, ac i Esyllt a Myrddin yng Ngwasg Carreg Gwalch am eu gwaith.

I fy nhiwtoriaid cyntaf a roddodd fy nhraed ar lwybr y treigladau:
Fran Thomas, Angela McIntosh ac Eleri Swift Jones

Cynnwys

TERMAU GRAMADEGOL
GRAMMATICAL TERMS

adferf(au) (eb) – *adverb(s)*
ansoddair (ansoddeiriau) (eg) – *adjective(s)*
arddodiad (arddodiaid) (eg) – *preposition(s)*
bannod benodol (eb) – *definite article*
bannod amhenodol (eb) – *indefinite article*
benywaidd – *feminine*
berf(au) (eb) – *verb(s)*
berfenw(au) (eg) – *verb-noun(s) or infinitive(s)*
brawddeg(au) (eb) – *sentence(s)*
cadarnhaol – *positive*
cyd-destun(au) (eg) – *context(s)*
cyflwr (cyflyrau) (eg) – *case(s)*
cyfarchol – *vocative*
cymal (cymalau) (eg) – *clause(s)*
cymharol – *comparative*
eb - enw benywaidd – *feminine noun*
eg - enw gwrywaidd – *masculine noun*
enw(au) (eg) – *noun(s)*
goddrych (eg) – *subject*
gorchymyn(gorchmynion) (eg) – *command(s)*
gwrthwyneb (eg) – *opposite*
gwrywaidd – *masculine*
gwrthrych (eg) – *object*
llafariad (llafariaid) (eb) – *letter(s)*
lluosog(ion) (eg) – *plural(s)*
negyddol – *negative*
rhagenw(au) (eg) – *pronoun(s)*
unigol – *singular*
trefnol (trefnolion) (eg) – *ordinal(s)*
ymadrodd(ion) (eg) – *phrase(s)*

Arwyddion (*Symbols*)

Mae Mistar Psst yn dweud 'Psst . . . dyma awgrym defnyddiol!' Weithiau mae ei awgrym yn gwneud pethau'n haws i chi.

Mr Psst says 'Psst . . . here's a useful tip!' Sometimes his suggestion makes things easier for you.

'Cofiwch!' Rhywbeth arbennig y dylech chi ei gofio am reol arbennig.

'Remember!' Something special you ought to remember about a particular rule.

Mae Mistar Gwybod Popeth yn arwyddo rhywbeth clyfar, rhywbeth sy'n cael ei ddefnyddio dim ond mewn Cymraeg llenyddol fel arfer. Oni bai eich bod chi eisiau cystadlu yn yr Eisteddfod Genedlaethol, does dim rhaid i chi ddarllen beth sy'n dilyn arwydd Mistar Gwybod Popeth.

Mr Know All signals that something clever is coming up, usually something only found in literary Welsh. Unless you want to compete in the National Eisteddfod you can skip what follows the Mr Know All symbol.

'Rhybudd!' Mae'r ci-tarw yn tynnu eich sylw at gamgymeriadau cyffredin neu bethau sy'n medru creu problemau. Ceisiwch osgoi y camgymeriadau sy'n dilyn y ci-tarw.

'Beware!' The bulldog draws your attention to common mistakes or things which may cause problems. Try to avoid the mistakes which follow the bulldog symbol.

Y TREIGLAD MEDDAL

THE SOFT MUTATION

Y Treiglad Meddal ydy brenin y treigladau. Mae'n anodd gwneud brawddeg yn Gymraeg heb i'r Treiglad Meddal fusnesu.

The Treiglad Meddal is king of the mutations. It's hard to make a sentence in Welsh without him butting in.

Mae ofn y Treiglad Meddal grymus ar lawer o **dd**ysgwyr. Maen nhw'n meddwl ei fod o'n cuddio ym mhob brawddeg yn aros i **w**neud ffyliaid ohonyn nhw. Ond edrychwch ar ei **w**ên **f**awr. Mae o eisiau bod yn **g**yfeillgar, mae o eisiau eich helpu chi **i** **f**eistroli iaith y Nefoedd. (Heb **a**ir o **g**elwydd!)

Many learners are afraid of the mighty Treiglad Meddal. They think he's hiding in every sentence waiting to make fools of them. But look at his big smile. He wants to be friendly, he wants to help you master the language of Heaven. (Honestly!)

Mae'r Treiglad Meddal yn gweithio efo naw llythyren:
The Treiglad Meddal works with nine letters:

c		g
p		b
t		d
b	sy'n troi yn	f
d	*which become*	dd
g		–
m		f
ll		l
rh		r

A dweud y gwir, does dim llawer o lythrennau ar ôl. Ar wahân i'r llafariaid does dim ond 'ch', 'ff', 'h', 'n' a 's' sy'n dianc rhag dylanwad y Treiglad Meddal.
To tell the truth, there aren't many letters left. Apart from the vowels only 'ch', 'ff', 'h', 'n' and 's' escape the influence of the Treiglad Meddal.

Er nad ydy 'f', 'dd' a 'l' yn treiglo, pan welwch chi nhw mewn brawddeg, byddwch yn ofalus! Efallai eu bod nhw wedi eu treiglo yn barod.
Although 'f', 'dd' and 'l' don't mutate, when you see them in a sentence, beware! They may have mutated already.

Mae'r Treiglad Meddal yn byw ym Mharc y Wyddor, sy'n gyfuniad o barc thema a gwersyll hyfforddi llythrennau. Mae o'n trin ei lythrennau yn garedig iawn – maen nhw'n rhydd i grwydro o le i le ac i ymuno ym mhob un o'r gweithgareddau.
The Treiglad Meddal lives in Alphabet Park – a combination of a theme park and a training camp for his letters. He treats them very kindly – they are free to roam from place to place and join in all the activities.

Mae Brenin y Treigladau yn cynnal Eisteddfod **b**ob blwyddyn ac mae o wedi rhoi gwahoddiad i chi ymweld â'i **b**arc i **w**eld sut mae o'n gweithio.
The King of the Mutations holds an Eisteddfod every year and he has invited you to visit his park to see how he works.

Fasech chi'n hoffi ymuno ag Ann (Ann O'Beithiol ydy hi) a Dai (Da i **Dd**im ydy o), dau **dd**ysgwyr sydd wedi dod i'r Eisteddfod am y tro cyntaf? Mae llawer o **d**reigladau wedi digwydd yn **b**arod ac maen nhw eisiau gwybod pam. Mae Dai yn hoffi canu felly mae o wedi dod â'i gitâr efo fo.
Would you like to join Ann (she's hopeless) and Dai (he's good for nothing), two learners who have come to the Eisteddfod for the first time? A lot of mutations have occured already and they want to know why. Dai likes to sing so he has brought his guitar with him.

Peidiwch â bod yn swil! Dewch i mewn! Mae adloniant ym mhob pabell ar y Maes. Hwyl **f**awr!
Don't be shy! Come in! There's entertainment in every tent on the Maes. Have fun!

PABELL YR ARDDODIAID
THE PREPOSITIONS TENT

Mae rhai arddodiaid yn achosi treiglad ar **dd**echrau'r gair sy'n eu dilyn nhw.
Some prepositions mutate the start of the word which follows them.

Ond cofiwch:
But remember:

Dydy'r arddodiaid ddim yn cyfateb i'r arddodiaid Saesneg yn union. Gwrandewch ar y sgyrsiau ym mhabell yr arddodiaid a sylwch ar y gwahaniaethau.
The prepositions don't correspond to their English equivalents exactly. Listen to the conversations in the tent and notice the differences.

15

AM, DROS, O, I, TRWY, GAN, DAN

Ann: Dwi'n mynd â'r ci **am d**ro **dros g**aeau Mr Jones **o d**ro **i d**ro. Wyt ti eisiau dod efo fi?

I take the dog for a walk over Mr Jones's fields from time to time. Do you want to come with me?

Dai: Dim diolch. Byddwn i'n mynd **trwy dd**ŵr a thân i ti ond ces i fy mrathu **gan g**i defaid Mr Jones unwaith. Os bydd Mr Jones yn cadw'r ci **dan g**lo, iawn – ond os na – anghofia am y peth.

No thanks. I'd go through fire and water for you but I was bitten by Mr Jones's sheepdog once. If Mr Jones will keep the dog locked up, fine – if not – forget it.

WRTH, HEB, O, TRWY, I, GAN, AM, AR, AT, HYD, DROS

Ann: Edrycha Dai! Mae dyn fan'cw efo 'Dysgwr Perffaith' ar ei het. Mae'n rhaid i ni siarad efo fo.

Look Dai! There's a man over there with 'Perfect Learner' on his hat. We must talk to him.

Ann: Ydach chi wedi dysgu Cymraeg **wrth w**rando, **heb dd**arllen llyfr gramadeg **o g**wbl?

Have you learned Welsh through listening, without reading a grammar book at all?

DP: Siŵr iawn, **trwy dd**arllen nofelau **i dd**ysgwyr – dyna sut dechreuais i.

Certainly, by reading novels for learners – that's how I started.

Ann: Beth am y treigladau? Oedden nhw'n anodd i chi?

What about the mutations? Were they hard for you?

DP: **Wrth g**wrs, mae **gan b**awb ychydig **o b**roblemau efo'r treigladau . . . Ond rŵan dwi'n troi **at** feirdd enwog am ysbrydoliaeth.

Of course, everybody has a few problems with the mutations . . . But now I turn to famous bards for inspiration.

Ann: **Am w**ych! **Am g**amp!

How wonderful! What an accomplishment!

Dai: Ydach chi'n meddwl bydd y tywydd braf yn parhau **hyd dd**iwedd y mis?
Do you think the good weather will last until the end of the month?

DP: Esgusodwch fi. Dwi **ar f**rys rŵan.
Excuse me. I'm in a hurry now.

Dai: Pam dach chi'n mynd?
Why are you going?

DP: **Am f**od siarad am y tywydd yn sgwrs **i dd**ysgwyr. Mae siarad efo chi fel nofio **trwy dr**iog.
Because talking about the weather is learners' conversation. Talking to you is like swimming through treacle.

Dai: Does dim eisiau mynd **dros b**en llestri! (**Am b**en bach!)
There's no need to go over the top! (What a big head!)

Ann: Ydan ni wedi gorffen? Roedd hynna'n hawdd.
Have we finished? That was easy.

Dai: Dwi'n gweld Mistar Psst a'r lleill yn aros amdanon ni, ond dwi wedi meddwl am gân. Wyt ti eisiau ei chlywed hi?
I see Mr Psst and the others waiting for us, but I have thought of a song. Do you want to hear it?

Ann: Os oes rhaid i mi.
If I must.

(Mae Dai yn codi ei gitâr. Mae o'n llawn ysbrydoliaeth.)
(Dai takes up his guitar. He is full of inspiration.)

(Tôn: Hen hwiangerdd)

Dacw mam yn dŵad dros y gamfa wen
Treiglad ar ei ffedog, arddodiaid ar ei phen
Am, ar, at, ac i, o, gan,
Hyd, heb, trwy ac wrth, dros, dan
Jim Cro Crystyn wan tw ffôr
Yn siarad fel Sais felly mae o dan glo.

(Tune: Old nursery rhyme)

Here's mam coming over the white stile
Mutation on her apron, prepositions on her head
Am, ar, at, and i, o, gan
Hyd, heb, trwy and wrth, dros, dan
Jim Cro Crystyn one two four
Speaks like an Englishman so he's locked up.

Er bod y Treiglad Meddal yn dilyn 'hyd', ar ôl 'ar hyd' does dim treiglad.
Although 'hyd' is followed by the Treiglad Meddal, after 'ar hyd' there is no mutation.

Mae 'i' yn achosi treiglad hyd yn oed pan fydd gair arall yn dod rhwng 'i' a'r ferf e.e.
'i' causes a mutation even when another word comes between 'i' and the verb e.g.

> Cyn i Aled fynd i Gaerdydd.
> *Before Aled goes to Cardiff.*

> Ar ôl i'r bws gyrraedd.
> *After the bus arrives.*

> Mae'n anodd dweud brawddeg heb i'r Treiglad Meddal fusnesu.
> *It's hard to say a sentence without the Treiglad Meddal butting in.*

Mae rhai dysgwyr yn meddwl eu bod nhw'n saff os ydyn nhw'n treiglo ar ôl pob arddodiad! Ond cofiwch! Does DIM treiglad ar ôl:
Some learners think they are safe if they mutate after every preposition! But remember! There's NO mutation after:

cyn – cyn cinio – *before dinner*
ar ôl – ar ôl brecwast – *after breakfast*
rhag – mae ein cŵn ni'n ein cadw ni rhag mynd ar wyliau
       our dogs stop us from going on holiday
ers – ers blynyddoedd – *for years (literally 'since' years)*
erbyn – erbyn diwedd yr wythnos – *by the end of the week*
rhwng – rhwng môr a mynydd – *between sea and mountain*
mewn – mewn gwirionedd – *actually (literally 'in truth')*

Y BABELL 'YN'
THE 'YN' TENT

Mae'r Treiglad Meddal yn dilyn 'yn' mewn llawer o ymadroddion disgrifiadol, felly yn y babell 'YN' mae llawer o ansoddeiriau, adferfau, enwau (a rhifau hefyd).

The Treiglad Meddal follws 'yn' in many descriptive phrases so in the 'YN' tent there are lots of adjectives, adverbs, nouns (and numbers too).

Ar ôl llafariad mae 'yn' yn troi yn ''n', ac eithrio lle mae 'yn' yn golygu 'in'.

After a vowel, 'yn' becomes ''n', except where 'yn' means 'in'.

Dydy 'yn' **dd**im yn gweithio fel arddodiad yn y cyd-**d**estunau sy'n dilyn felly dydy o ddim yn golygu 'in'.

'Yn' doesn't work as a preposition in the following contexts so it doesn't have the meaning 'in'.

Mae dau achos lle nad ydy 'yn' yn achosi'r Treiglad Meddal:
There are two cases where 'yn' does not cause a Treiglad Meddal:

1. Pan fydd 'yn' yn golygu *'in'*.
   When 'yn' means 'in'.

2. Pan fydd 'yn' yn rhan o ferf. Gadewch i'r Eliffant egluro. (Wel, dach chi eisiau cofio, tydach?)
Gwers fer iawn ydy hi:
When 'yn' is part of the verb. Let the Elephant explain (well you want to remember don't you? It's a very short lesson:

GWERS 'OND' A 'FELLY'

Patrwm y frawddeg syml yn **G**ymraeg ydy:
    Berf ⇒ Goddrych ⇒ Gwrthrych
The pattern of a simple sentence in Welsh is:
    Verb ⇒ Subject ⇒ Object

e.e. Prynodd Ann het.
    Ann bought a hat.

OND fel rydan ni'n gwybod, mae'r Treiglad Meddal yn hoffi busnesu ym mhob brawddeg. **FELLY** beth sy'n digwydd ydy:
    Berf ⇒ Goddrych ⇒ Treiglad Meddal ⇒ Gwrthrych
BUT *as we know, the Treiglad Meddal likes to interfere in every sentence.* ***SO*** *what happens is:*
    Verb ⇒ Subject ⇒ Treiglad Meddal ⇒ Object

e.e Prynodd Dai **b**astai.
    Dai bought a pie.

FELLY, mae'n hawdd – mae'r gair sy'n dod ar ôl y goddrych yn treiglo.
SO it's easy – the word which comes after the subject mutates.

OND, mae llawer o ferfau yn cael eu llunio gyda'r berfenw 'BOD'
FELLY patrwm 'Bod' ydy: Bod ⇨ Goddrych ⇨ yn ⇨ berfenw ⇨ gwrthrych.
BUT many verbs are made with the verb 'bod' (to be)
SO the 'Bod' pattern is: Bod ⇨ Subject ⇨ yn ⇨ verb-noun ⇨ object.

Does dim treiglad ar ôl 'yn' fel rhan o ferf, **FELLY** mae 'yn' wedi atal y treiglad.
There's no mutation after 'yn' as part of a verb, SO 'yn' has blocked the treiglad.

FELLY: e.e. Mae Dai'n canu emyn. (Dim treiglad.)
SO: eg. Dai is singing a hymn. (No mutation.)

OND yn y negyddol: Dydy Dai **dd**im yn canu emyn, mae o'n canu hwiangerdd.
BUT in the negative: Dai is not singing a hymn, he's singing a nursery rhyme.

'Dai' ydy'r goddrych ac mae 'dim' yn dod ar ôl y goddrych, **FELLY** mae 'dim' yn treiglo.
'Dai' is the subject and 'dim' comes after the subject, SO 'dim' mutates.

Dyna'r cwbl. Dach chi'n deall?
That's all. Do you understand?

Ann a Dai: Yn llwyr. Diolch yn fawr iawn Mistar Eliffant!
Absolutely. Thank you very much Mr Elephant.

Un peth arall – mae un ffurf arall o 'bod' sy' **dd**im yn defnyddio 'yn' bob amser ac sy'n achosi'r Treiglad Meddal. Mae 'sy' **dd**im' yn un enghraifft. Ond fel arfer byddwch chi'n cyfarfod â 'sydd' gyda'r cymharol.

One more thing – there's one other form of 'bod' which does not use 'yn' all the time and which causes a Treiglad Meddal. 'Sy' ddim' is one example. But usually you will meet 'sydd' with the comparative.

Beth sydd **o**rau? Beth sydd **w**aethaf?
Which is best? Which is worse?

Beth sydd **dd**rutach? Beth sydd **r**atach?
Which is more expensive? Which is cheaper?

Ymlaen! Mae llawer o ffurfiau 'yn' sy'n cael eu dilyn gan y Treiglad Meddal yn aros i **r**oi croeso cynnes i chi.
Onward! Lots of forms of 'yn' which are followed by the Treiglad Meddal are waiting to give you a warm welcome.

Dydy 'll' a 'rh' **dd**im yn treiglo ar ôl 'yn'.
'Rh' and 'll' don't mutate after 'yn'.

e.e. Dwi'n dysgu Cymraeg.
I'm learning Welsh

Dach chi'n **rh**ugl eto?
Are you fluent yet?

Yn **dd**igon rhugl i osgoi'r jôc Rigoletto.
Fluent enough to avoid the Rigoletto joke.

Yn **dd**iweddar, aeth dosbarth o **dd**ysgwyr a oedd wedi ennill cystadleuaeth 'dosbarth gorau'r flwyddyn' am **b**enwythnos i Eryri efo'r Treiglad Meddal. Am **w**obr grêt! (Enillodd 'dosbarth gwaethaf y flwyddyn' wythnos yn Eryri efo'r Treiglad Meddal.) Gwrandewch ar beth maen nhw'n dweud am eu taith.

Recently, the learners who won 'best class of the year' competition went for a weekend to Snowdonia with Treiglad Meddal. What a great prize! (The 'worst class of the year' won a week in Snowdonia with Treiglad Meddal). Listen to what they are saying about their trip.

Roedden ni ar **b**en yr Wyddfa efo'r Treiglad Meddal. Mae o'n **dd**ringwr ardderchog. Am **o**lygfa o'r copa! Roedd hi'n **f**ythgofiadwy.

We were on top of Snowdon with Treiglad Meddal. He's an excellent climber. What a view from the peak! It was unforgettable.

Roedd dydd Sadwrn yn **dd**iwrnod braf i **dd**echrau ond glawiodd yn **d**rwm wedyn.

Saturday was a fine day at the start, but it rained heavily later.

Dwi'n cofio, roedd hi'n **dd**iwrnod fy mhen-blwydd. Roeddwn i'n **d**ri deg mlwydd oed. Edrycha – dwi'n dechrau mynd yn foel! Dydy hi ddim yn **d**eg!

I remember. It was my birthday. I was 30. Look – I'm starting to go bald! It isn't fair!

Paid â phoeni. Mae'n **w**ell na bod yn **d**ew ac yn **f**oel fel fi.

Don't worry. It's better than being fat and bald like me.

Roedd Pedol yr Wyddfa yn **b**rofiad ofnadwy.

The Snowdon Horseshoe was a terrible experience.

Dim o gwbl. Mwynheais i hynny'n **f**awr.

Not at all. I enjoyed it very much.

Rwyt ti'n **g**ryfach na fi ac yn **f**wy dewr. Roedd Crib Coch yn **dd**ychrynllyd.

You're stronger than me and braver. Crib Coch was terrifying.

Ar y ffordd i **l**awr roedd y llwybr yn **w**lyb ac yn llithrig.
On the way down, the path was wet and slippery.

Mi es i'n **dd**igalon iawn. Roedd fy sanau yn **w**lyb diferol, roedd fy sgidiau yn **f**wdlyd, ac aeth fy nhrowsus yn **f**udr. Mae'n **g**as gen i'r Treiglad Meddal. Ond mae o'n **o**lygus yntydi?
I got very downhearted. My socks were soaking wet, my boots were muddy and my trousers got dirty. I hate Treiglad Meddal. But he's handsome isn't he?

Golygus? Wyt ti'n **w**allgo'?
Handsome? Are you mad?

Mae o'n **b**ishyn. Mae llawer o'r merched yn cytuno efo fi.
He's a dish. A lot of the girls agree with me.

Mae llawer o'r merched yn **d**wp.
A lot of the girls are stupid.

Tybed faint ydy ei oed o?
I wonder how old he is?

Rhy hen i ti. Mae o'n **b**um can mlwydd oed o leia.
Too old for you. He's five hundred years old at least.

Wrth **dd**efnyddio'r **f**annod amhenodol, cofiwch y gwahaniaeth rhwng:
When using the indefinite article (a), remember the difference between:

Meddyg ydw i.
*(Literally: **A** doctor I am.)*

Dwi'n **f**eddyg.
*I'm **a** doctor.*

Dai: Roedd hynna'n hawdd. Mae fy ysbrydoliaeth yn dod yn ôl.
That was easy. My inspiration is coming back.

(Tôn: Llwyn Onn)

Dwi'n **b**arod, dwi'n **f**odlon
Dwi'n bwyta bag o sglodion
Dwi'n **dd**ryslyd, dwi'n **b**oenus
Lle mae'r Llwyn Onn?

(Tune: *The Ash Grove*)

I'm ready, I'm willing
I'm eating a bag of chips
I'm puzzled, I'm worried
Where is the Ash Grove?

Ann: Dwi ddim yn siŵr yn union. Ydy o yng ngogledd Cymru?
I'm not sure – is it in north Wales?

Dai: Dim ond cân ydy hi, Ann. Does dim ots gen i ble mae'r Llwyn Onn.
It's just a song, Ann. I don't care where the Ash Grove is.

Ann: Edrycha Dai! Mae stondin grand ofnadwy fan'cw efo arwydd 'ANSODDEIRIAU ARBENNIG'. Beth sy'n digwydd yno? Pam maen nhw'n sefyll fel cerfluniau? Efallai eu bod nhw'n gerfluniau!
Look there's a very grand stand over there with a sign 'SPECIAL ADJECTIVES'. What's happening there? Why are they standing like statues? Perhaps they are statues!

HEN, PRIF, UNIG, ANNWYL, HOFF

Dyma hen wraig a hen **dd**yn (mae pob un yn **g**an mlwydd oed).
Here's an old man and an old woman (each of them is 100 years old).

Dyma'r prif fardd (mae o'n **b**wysig iawn).
Here's the chief bard (he's very important).

Yr unig **dd**raig goch yn yr Eisteddfod. (Mae hwn yn gerflun go iawn.)
The only red dragon in the Eisteddfod. (That really is a statue.)

26

'Annwyl gyfeillion . . . ' (O diar! Dydy hwn ddim yn gerflun. Mae ein hoff **d**reiglad yn dechrau gwneud araith! Lle mae'r ffordd allan? Yn gyflym!)
'Dear friends . . .' (Oh dear! That's not a statue. Our favourite treiglad's starting to make a speech! Where's the way out? Quickly!)

Felly, beth sy'n arbennig? Mae'r ansoddeiriau hyn i gyd yn dod o flaen yr enw.
So, what's special? These adjectives all come before the noun.

CORNEL MISTAR GWYBOD POPETH
MR KNOW ALL'S CORNER

Ann: Dai! Edrycha ar yr arwydd uwchben stondin Mistar Gwybod Popeth.
Dai! Look at the sign above Mr Know All's stand.

Dai: O Diar. Dwi erioed wedi clywed am y cyflwr cyfarchol. Beth ydy o?
Oh dear. I've never heard of the vocative case. What is it?

Ann: Mae o'n dangos sut i **a**lw ar **r**ywun, dwi'n meddwl. Edrycha – mae 'dysgwyr' wedi treiglo ar ei arwydd. Mae o eisiau dweud rhywbeth wrthon ni.
It shows how to address someone, I think. Look – the 'dysgwyr' has mutated on his sign. He wants to tell us something.

Mistar Gwybod Popeth: **G**yfeillion! **F**oneddigion a boneddigesau! **F**rodyr a chwiorydd! Dewch ac eisteddwch, **b**awb. Dwi eisiau eich cyflwyno chi i **b**leserau'r cyflwr cyfarchol. Bore da, **dd**ysgwyr, croeso cynnes i chi!
Friends! Gentlemen and Ladies! Brothers and sisters! Come and sit down, everybody. I want to introduce you to the joys of the vocative case. Good morning, learners, a warm welcome to you!

Ann: Diolch yn fawr, **B**rifathro, ond dwi'n meddwl ein bod ni'n deall. Tyrd, Dai. Ymlaen, **g**yfaill, i **B**abell y Merched!
Thanks very much, professor, but I think we understand. Come on Dai. Forward, comrade, to the women's tent!

Dai: Wyt ti'n **b**arod am **g**ân arall?
Are you ready for another song?

Ann: Iawn.
OK.

(Tôn: Cwm Rhondda)

Co-fi-wch y Cyflwr Cyfarchol
Enwog yn ei wlad ei hun
Dydy o **dd**im yn codi'n aml
Yn **g**yflym, **w**raig, tynna ei **l**un!
Gyflwr Cyfarchol, **G**yflwr Cyfarchol
Helpwch fi i'ch cofio chi
(Cofio chi . . . i . . . i . . .)
Helpwch fi i'ch cofio chi.

(Tune: Cwm Rhondda/Bread of heaven)

Remember the Vocative Case
Famous in his own country
He doesn't come up often
Quickly, woman, take his photo!
Vocative Case, Vocative Case
Help me to remember you
(Remember you)
Help me to remember you.

PABELL Y MERCHED
THE WOMEN'S TENT

Peidiwch â chwilio am **w**raig yma, hogiau. Mae enwau benywaidd unigol efo'r fannod yn **g**aethferched i gyd i'r Treiglad Meddal, heblaw'r rhai sy'n dechrau efo 'rh' a 'll'.
Don't look for a wife here, boys. All the singular feminine nouns with the definite article are slaves to Treiglad Meddal, except those which start with 'll' and 'rh'.

Mae ansoddair sy'n dilyn enwau benywaidd unigol yn treiglo hefyd, efo'r **f**annod neu heb y **f**annod. e.e. y **d**ref **f**ach, tref **f**ach.
An adjective which follows a singular feminine noun mutates too, with or without the definite article. e.g. the little town, a little town.

I wneud pethau yn **f**wy anodd i **dd**ysgwyr, mae'r ansoddeiriau sy'n dechrau efo 'll' a 'rh' yn treiglo ar ôl enwau benywaidd unigol.
To make things more difficult for learners, the adjectives which start with 'll' and 'rh' mutate after singular feminine nouns.

Mae ein seddau ni yn y rhes gefn – rhan rataf y theatr – ond mae'n agos i'r fynedfa lydan ar gyfer eich cadair olwyn.
Our seats are in the back row – the cheapest part of the theatre – but it's near the wide entrance for your wheelchair.

Mam, dach chi wedi gweld y llygoden fach lwyd y bore 'ma?
Mam have you seen the little grey mouse this morning?

Rhedodd hi dan y llechen rydd yng nghornel y iard gefn.
It ran under the loose slate in the corner of the back yard.

Dydy enwau benywaidd lluosog ddim yn treiglo – na'u hansoddeiriau chwaith.
Feminine plurals don't mutate – neither do their adjectives.

Felly, beth sy'n digwydd yn y **b**abell 'ma? Peidiwch â phoeni, **D**reiglad Meddal, go brin eu bod nhw'n **b**arod am y chwyldro eto. Gwrandewch ar y sgyrsiau:

So, what's happening in this tent? Don't worry, Treiglad Meddal, it's unlikely they are ready for the revolution yet. Listen to the conversations:

Cadair Mam ydy'r **g**adair **b**ren yn y gegin. Mae Mam yn mynd â hi i'r **a**rdd yn yr haf. Mae hi'n hoffi eistedd dan y **g**oeden **f**awr.

The wooden chair in the kitchen is Mam's chair. Mam takes it into the garden in the summer. She likes sitting under the big tree.

Mae'r **ŵ**yl **g**erddoriaeth yn dechrau'n **f**uan yn y **d**ref **f**ach lle dwi'n byw. Nos Wener, mae'r **b**obl leol yn mwynhau'r **g**ymanfa **g**anu yn y ganolfan yn **f**awr.

The music festival starts soon in the town where I live. On Friday night the local people enjoy the singing festival in the community centre very much.

Dach chi eisiau chwifio'r **f**aner genedlaethol? Codwch y **Dd**raig **G**och!

Do you want to wave the national flag? Raise the Red Dragon!

Mae merch **r**yfedd wrth y drws. Mae hi'n dweud ei bod hi'n hel pres ar gyfer y **G**roes **G**och.

There's a strange girl at the door. She says she's collecting for the Red Cross.

Merch **r**yfedd – na! Myfanwy Jones ydy hi, merch y fferm **f**awr ar y **g**roesffordd.

A strange girl – No! That's Myfanwy Jones, daughter of the big farm at the crossroads.

Dai: Amser cân! Gwranda!
Song time! Listen!

(Tôn: Lawr ar lan y môr.)

Aeth merch â'i ansoddeiriau
Lawr ar lan y môr,
lawr ar lan y môr, lawr ar lan y môr
Aeth merch â'i ansoddeiriau
lawr ar lan y môr, lawr ar lan y môr.
O . . . O . . . O . . . Treiglwch efo fi, f'ansoddeiriau i,
Ond nid yn y lluosog.
Treiglwch efo fi, f'ansoddeiriau i
Ond nid yn y lluosog.

(Tune: Down by the riverside)

A girl took her adjectives
Down by the seaside (3 times)
repeat
Mutate with me, my adjectives,
But not in the plural (twice).

Y STONDIN AMSER, LLE A PHELLTER
THE TIME, PLACE AND DISTANCE STAND

Mae'r Treiglad Meddal yn dechrau cymal sy'n cyfeirio at **b**ellter, lle neu amser.
The Treiglad Meddal starts a clause which indicates distance, place or time.

Dai: Wyt ti eisiau ymweld â'r stondin 'ma?
Do you want to visit this stand?

Ann: Nac ydw. Dwi wedi gweithio **dd**ydd a nos ar y Treiglad Meddal ers dwy flynedd, dwi ddim eisiau treulio fy ngwyliau efo fo. Beth bynnag, mi archebais i fy ngwyliau **b**ythefnos yn ôl.
No. I've worked day and night on the Treiglad Meddal for two years, I don't want to spend my holidays with him. Anyway, I booked my holidays a fortnight ago.

Dai: Wyt ti'n mynd **d**ramor?
Are you going abroad?

Ann: Ydw. Dwi'n mynd i Creta **b**ob blwyddyn. Mae ein gwesty **g**anllath o'r môr.
Yes. I go to Crete every year. Our hotel is 100 yards from the sea.

Dai: Wyt ti'n aros yno **b**ob tro?
Do you stay there every time?

Ann: **B**ob tro. Beth sydd ar **g**ael ar stondin y Treiglad Meddal, beth bynnag?
Every time. What's available on Treiglad Meddal's stand anyway?

Dai: Iwerddon, yr Alban, Llydaw a'r Wladfa. Lleoedd Celtaidd i **g**yd wrth **g**wrs.
Ireland, Scotland, Brittany and Patagonia. All Celtic places, of course.

Ann: Dwi erioed wedi bod i **L**ydaw.
I've never been to Brittany.

Dai: Aeth fy nheulu i Iwerddon unwaith. Roedd y siop agosaf **b**um milltir i ffwrdd o lle'r oedden ni'n aros. **D**rannoeth roedden ni'n chwilio am **r**ywle i **l**ogi car.
My family went to Ireland once. The nearest shop was five miles away from where we stayed. The next day we were looking for somewhere to hire a car.

Ann: Oeddech chi'n agos i'r môr?
Were you near the sea?

Dai: **Dd**wy awr i ffwrdd yn y car.
Two hours away in the car.

Ann: **D**air blynedd yn ôl aeth ein hathrawes ni i'r Wladfa. Mae hi'n siarad am y peth **d**rwy'r amser.
Three years ago our teacher went to Patagonia. She talks about it all the time.

Dai: Lle buodd hi?
Where did she go?

Ann: Yng nghanol nunlle. **G**annoedd o **f**illtiroedd o'r môr. Mae'n well gen i Creta.
To the middle of nowhere. Hundreds of miles from the sea. I prefer Crete.

Yn yr iaith lafar, er nad ydy pobl byth yn colli'r treiglad wrth **dd**weud 'bob amser', '**b**ob dydd' ac ati, yn aml byddwch chi'n clywed 'tair blynedd yn ôl', ac weithiau mae pobl yn anghofio am y treiglad mewn cymalau pellter. e.e. Mae hi'n byw tair milltir o'r safle bws agosaf.
In the spoken language although people would never omit the mutation in 'bob dydd' 'bob amser' etc, often you will hear 'tair blynedd yn ôl' and sometimes they forget about the mutation in distance clauses e.g. She lives three miles from the nearest bus stop.

PABELL Y RHAGENWAU
THE PRONOUNS TENT

DY, EI ac I'W

Dai: Mae'r **b**abell 'ma braidd yn **f**ach, yn tydi? Dim ond 'dy', 'ei' ac 'i'w' sydd ynddi.
This tent is rather small isn't it. There's just 'dy', 'ei' and 'i'w' in it.

Ann: Wel, maen nhw'n gweithio'n **g**aled ar 'dy . . . di', 'ei . . . o' ac ar 'dy fod di' ac 'ei fod o' hefyd. Beth sy'n digwydd? Mae'n **d**ebyg nad ydyn nhw'n **b**arod amdanon ni eto. Gwranda!
Wel, they work hard at 'your' and 'his' and at 'that' too. What's happening? It seems they aren't ready for us yet. Listen!

Mae 'i'w' yn gweithio yn lle 'i . . . ei' ond wrth gwrs, dim ond yn y gwrywaidd mae'r Treiglad Meddal yn digwydd. Mae'r Treiglad Llaes yn dilyn 'i'w' sydd yn golygu 'i . . . ei' yn **f**enywaidd.
'I'w' works in place of 'i . . . ei' which means 'to his' but of course the Treiglad Meddal occurs in the masculine only. The Treiglad Llaes follows 'i'w' which means 'to her' in the feminine.

Ei: Beth sy' wedi digwydd i'w **w**allt?
What has happened to his hair?

I'w: Mae'n llanast yn tydi? Gormod o *gel*, yn fy marn i, a gormod o **g**ribo. Dwi'n siŵr ei **f**od o wedi ei **g**ribo fo sawl gwaith yn **b**arod y bore 'ma.
It's a mess isn't it? Too much gel, in my opinion, and too much combing. I'm sure he's combed it several times already this morning.

Ei: Mae o'n edrych yn ofnadwy. Sut aeth dy **b**arti pen-blwydd neithiwr Dy?
He looks awful. How did your birthday party go last night Dy?

Dy (yn crawcian): Iawn.
(croaking): OK.

I'w: Dwi'n meddwl ei **f**od o wedi colli ei **l**ais. Roedd o'n canu am oriau neithiwr. Ac mae cur yn ei **b**en ganddo. Gormod i yfed, wrth gwrs. Roedd yn rhaid i'w **w**raig ei **g**ario fo i'r car. Roeddwn i eisiau helpu ond . . .
I think he's lost his voice. He was singing for hours last night. And he's got a headache. Too much to drink, of course, His wife had to carry him to the car. I wanted to help but . . .

Ei: Dwi'n gwybod. Daeth dy **b**oen yn dy gefn yn ôl. Rwyt ti wedi diodde hen **dd**igon efo dy gefn yn **b**arod. Mae'n **d**ebyg ei **f**od o'n dy **b**oeni di heddiw. Sut mae dy **b**en mawr y bore 'ma Dy? Na! Paid ag ateb. Arbeda dy **l**ais!
I know. Your back ache came back. You've suffered more than enough with your back already. It's probably bothering you today. How's your hangover this morning, Dy? No, don't answer. Save your voice!

Dy: (Yn nodio ei **b**en yn **dd**igalon)
(Nodding his head miserably)

Ei: Mae o'n **d**ebyg i'w **f**rawd mawr yn tydi? Mae o'n yfed gormod hefyd.
He's like his big brother isn't he? He drinks too much as well.

Dy: Crawc!
Squawk!

I'w: Ei frawd Chi? Dim o gwbl. Dim ond ar ei **b**en-blwydd mae Dai yn yfed cwrw. Mae Chi yn yfed cymaint mae ei **f**ol yn anferth.
His brother Chi? Not at all. Dai only drinks beer on his birthday. Chi drinks so much his belly is enormous.

Ei: Gwylia! Mae'r dysgwyr yn dod. Mae un ohonyn nhw eisiau i ti lofnodi ei lyfr llofnodion. Rho dy lofnod iddo – efallai eith o o'ma yn fuan.
Look out. The learners are coming. One of them wants you to sign his autograph book. Give him your autograph and maybe he'll go away soon.

I'w: O diar. Lle mae dy **dd**rych?
Oh dear. Where's your mirror?

Ei: Dwi wedi ei golli o. Dwi'n meddwl dy fod ti'n mynd yn falch.
I've lost it. I think you're getting vain.

I'w: Mae gan enwogrwydd ei **b**ris. Lle mae dy grib?
Fame has it's price. Where's your comb?

Dai: Am **d**aclau! Dwi **dd**im eisiau canu cân amdanyn nhw. Lle mae'r rhagenwau personol eraill?
What a crew! I don't want to sing a song about them. Where are the other personal pronouns?

Ann: Mae pawb bron wedi diflannu!
Almost everyone has disappeared!

Dai: Dyna beth rhyfedd! Roeddwn i'n meddwl bod y Treiglad Meddal yn dilyn i, mi, ti, fo, hi, ni, chi a nhw. Lle maen nhw?
That's strange. I thought the Treiglad Meddal followed i, mi, ti, fo, fe, hi, ni, chi and nhw. Where are they?

Ann: Mae 'na arwydd ar y wal sy'n dweud:
There's a sign on the wall which says:

>Rydan ni'n gweithio efo'r berfau ym Mhabell y Berfau – dewch i ymuno â ni!
>*We are working with the verbs in the Verbs Tent – come and join us!*

Ann: O diar! Dwi wedi blino rŵan.
Oh dear! I'm tired now.

Dai: Mae fy nhraed i'n brifo. Gadewch i ni **g**ael paned.
My feet are hurting. Let's have a cup of tea.

Ann: Mae'n rhaid i mi **o**rffwys hefyd. Beth am y lleill?
I must rest too, what about the others?

Dai: Os cân' nhw **g**yfle i **dd**ianc oddi wrth y Treiglad Meddal, dwi'n siŵr byddan nhw'n gwneud hynny.
If they have a chance to escape from the Treiglad Meddal, I'm sure they will.

Ann: Well i ni **o**fyn caniatâd y Treiglad Meddal cyn i ni **f**ynd.
We'd better ask Treiglad Meddal's permission before we go.

Dai: Na, anghofia am y Treiglad Meddal, anghofia am y lleill. Dwi eisiau paned – tyrd!
No, forget about the Treiglad Meddal, forget about the rest. I want a cup of tea – come on!

Ann: Iawn, ond does gen i **dd**im pres. Oes gen ti **b**unt?
OK, but I've got no money. Have you got a pound?

Mewn brawddegau tebyg i'r rhain, mae rhai dysgwyr yn meddwl bod y rhagenw yn *achosi'r* Treiglad Meddal, ac mae Dai yn iawn i gofio bod y treiglad yn *dilyn* y rhagenw, oherwydd dyna beth sy'n digwydd fel arfer. OND dach chi'n cofio gwers yr Eliffant? Fel arfer, y rhagenwau ydy'r goddrych a dyna pam mae'r gair nesaf yn treiglo.

In sentences like these, some learners think that the pronoun causes the soft mutation, and Dai is right to remember that the mutation follows the pronoun, because that's what usually happens. BUT do you remember the Elephant's lesson? Usually, the pronoun is the subject and that's why the next word mutates.

PABELL Y BERFAU
THE VERBS TENT

LONG LIVE THE SHORT FORM!

Yn debyg i 'mae' yn yr amser presennol, mae 'mi' (yng ngogledd Cymru) neu 'fe' (yn ne Cymru a'r iaith lenyddol) yn nodi dechrau brawddeg gadarnhaol yn ffurf gryno amserau'r gorffennol a'r dyfodol. Mae'r ferf yn treiglo ar ôl 'mi' a 'fe'.

Like 'mae' in the present tense, 'mi' (in north Wales) or 'fe' (in south Wales and the literary language) mark the start of a positive sentence in the short form of the past and future tenses. The verb mutates after 'mi' and 'fe'.

41

Reit **dd**ysgwyr! Croeso i'r **b**abell **b**wysicaf ar y Maes.
Right, learners! Welcome to the most important tent on the Maes.

Dai: Yn sicr, mae hi'n **b**rysur iawn. Mae'r rhagenwau a'r berfau i gyd yma.
It's certainly very busy. All the pronouns and verbs are here.

Ann: O diar! Dyma'r eliffant. Ydan ni wedi anghofio rhywbeth?
Oh dear! Here's the elephant. Have we forgotten something?

Nac ydach! Dach chi wedi cael y **w**ers **b**wysicaf. Dach chi'n cofio bod y Treiglad Meddal yn dod ar ôl y goddrych? Wel dyma eich cyfle i ymarfer y ffurf **g**ryno. Mae'r Treiglad Meddal wedi dyfeisio gêm 'Cath a Llygoden' i chi. Dach chi eisiau chwarae?
No. You have had the most important lesson – do you remember that the Treiglad Meddal comes after the subject? Well, this is your chance to practice. Treiglad Meddal has invented a game of 'Cat and Mouse' for you. Do you want to play?

Dai ac Ann: Oes gynnon ni **dd**ewis?
Have we got a choice?

Nac oes, yn anffodus.
No, unfortunately.

Dai: Ga' i ganu cân arall yn gyntaf?
Can I sing another song first?

Ydy hi'n **b**erthnasol?
Is it relevant?

Dai: Wrth **g**wrs – a medrwch chi ymuno â'r **g**ytgan.
Of course – and you can join in the chorus.

(Tôn: Bing Bong Be.)

Mae'r Treiglad Meddal yn taro deg
Ar ôl y goddrych – **b**ob brawddeg
Ar ôl 'mi' ac ar ôl 'fe'
Ond nid ar ôl Bing Bong Be.
Cytgan: BING, BONG, BING BONG BE
Bing bong bing bong be, bing bong . . .

The Treiglad Meddal hits the spot
After the subject – every sentence
After 'mi' and after 'fe'
But not after Bing Bong Be.
Chorus: Bing bong be (ad infinitum)

Ann: Na! Na! Mae'n **g**as gen i Bing Bong Be. Mae'n **w**ell gen i chwarae gêm y Treiglad Meddal.
No! No! I hate Bing Bong Be. I'd rather play Treiglad Meddal's game.

Dai: Iawn. Sut mae'r gêm yn gweithio?
O.K. How does the game work.

Dyma nifer o **f**rawddegau ynglŷn â chath a llygoden yn yr amser presennol. Mi **dd**ylech chi eu newid nhw i'r gorffennol neu i'r dyfodol. Rhowch y Treiglad Meddal yn y lle cywir wrth **g**wrs!
There are a number of sentences in the present tense about the cat and mouse. You should change them to the past or future tenses. Put the Treiglad Meddal in the right place of course!

Dai – dach chi eisiau dechrau? Newidiwch y frawddeg hon i'r amser gorffennol, a defnyddiwch 'fe', os gwelwch yn dda. 'Rydw i'n gweld cath y Treiglad Meddal yn yr ardd.'
Dai – do you want to start? Change this sentence to the past tense, and use 'fe', please. 'I see the Treiglad Meddal's cat in the garden.'

Dai: Fe welais i gath y Treiglad Meddal yn yr ardd.
I saw Treiglad Meddal's cat in the garden.

Da iawn. Y rhagenw 'i' yw'r goddrych felly mae 'cath' yn treiglo ar ei ôl. Tro Ann rŵan. 'Mae Pws, cath y Treiglad Meddal, yn dal llygoden.'
Very good. The pronoun 'i' is the subject so 'cath' mutates after it. Ann's turn now. 'Pws, the Treiglad Meddal's cat, is catching a mouse.'

Ann: Mi ddaliodd Pws, cath y Treiglad Meddal, lygoden.
Pws, the Treiglad Meddal's cat caught a mouse.

Da iawn. 'Pws, cath y Treiglad Meddal' ydy'r goddrych felly mae 'llygoden' yn treiglo ar ei ôl.
Very good. 'Pws, cath y Treiglad Meddal' is the subject, so 'llygoden' mutates after it.

Ann: Dwi'n gweld – y gwrthrych sy'n treiglo!
I see – it's the object which mutates!

Fel arfer, ond nid bob amser. Daliwch ati!
Usually but not every time. Keep going.

Dwi'n gweld bod Pws yn dal llygoden.
I see that Pws is catching a mouse.

Ann: Mi **w**elais i **f**od Pws wedi dal llygoden.
I saw that Pws had caught a mouse.

Mae'r **g**ath drws nesaf yn dod. Dydy hi **dd**im yn dal llygoden.
The cat next door is coming. She doesn't catch a mouse.

Ann: Mi **dd**oth y gath drws nesaf. **Dd**aliodd y gath drws nesaf **dd**im un llygoden.
The cat next door came. She caught no mouse.

Neu? Ffordd arall?
Or? Another way?

Ann: Fe **dd**aeth y gath drws nesaf. **W**naeth y gath drws nesaf **dd**im dal llygoden.
The cat next door came. She didn't catch a mouse.

Da iawn – mi fedrwch chi **w**eld rŵan – yn y brawddegau yma mae 'bod' a 'dim' wedi treiglo ar ôl y goddrych felly dydy'r gwrthrych ddim yn treiglo. Hefyd, er bod 'mi' a 'fe' wedi diflannu yn y negyddol, mae'r treiglad yn dal i ddigwydd.
Very good – you can see now – in these sentences 'bod' and 'dim' have mutated after the subject, so the object doesn't mutate. Also, although 'mi' and 'fe' disappear in the negative, the mutation still occurs.

Mae ffordd arall o **dd**weud yr un peth yn y negyddol:
There's another way to say the same thing in the negative:

Ni **w**naeth y gath drws nesaf **dd**al llygoden.
Ni **dd**aliodd y gath drws nesaf **l**ygoden.
Dwi i'n siŵr na **dd**aliodd y gath drws nesaf **l**ygoden.

Mae 'ni' a 'na' yn achosi'r Treiglad Meddal ar wahân i **f**erfau sy'n dechrau gyda 'c' 'p' a 't' (sy'n treiglo'n llaes).
'Ni' = 'not' and 'na' = 'that . . . not' cause the Treiglad Meddal – apart from verbs which start with 't', 'c', and 'p' (which take the aspirate mutation).

45

Hefyd, mewn brawddegau cadarnhaol yn yr iaith ffurfiol, mae 'mi' a 'fe' yn diflannu weithiau, a'r treiglad gyda nhw.

Also in positive sentences in the formal language 'mi' and 'fe' disappear sometimes, and so does the mutation.

Ar lafar mi wnewch chi glywed: 'Mi welodd y gath lygoden'. Mewn llyfrau fe wnewch chi ddarllen: 'Gwelodd y gath lygoden'. Os nad ydych chi eisiau chwarae gêm y Treiglad Meddal, medrwch chi ddweud 'Welais i mo gath y Treiglad Meddal' ond does dim dianc – mae'r Treiglad Meddal yn dilyn 'mo'.

In speech you can hear: 'Mi welodd y gath lygoden'. In books you can read: 'Gwelodd y gath lygoden'. If you don't want to play the Treiglad Meddal's game you could say 'I didn't see Treiglad Meddal's cat' but there's no escape – the Treiglad Meddal follows 'mo'.

Gawn ni ofyn cwestiwn rŵan? Mae'r ferf sy'n dechrau cwestiwn yn treiglo. Newidiwch nhw i'r amser dyfodol:

Shall we ask a question now? The verb which starts a question mutates. Put them into the future tense:

Dai: Ydy Pws yn rhannu llygoden gyda'r gath drws nesaf? Nac ydy.
Is Pws sharing a mouse with the cat next door? No.

Ann: Wneith Pws rannu llygoden efo'r gath drws nesaf. Na wneith.
Will Pws share a mouse with the cat next door? No.

Dai: Wneith y cathod ladd llygoden arall? Neu: Laddith y cathod lygoden arall?
Will the cats kill another mouse?

Ann: Wn i ddim. Dwi ddim eisiau edrych.
I don't know. I don't want to look.

Mae brawddeg arall ar gael i **b**obl sydd eisiau gwybod popeth:
Another sentence is available for people who want to know everything:

Wnaeth Pws rannu'r llygoden a **dd**aliodd hi gyda'r **g**ath drws nesaf?
Did Pws share the mouse (which) she caught with the cat next door?

Gair arall i'ch casgliad o **r**agenwau – mae 'a' yn treiglo'r **f**erf sy'n ei **d**ilyn.
Another word for your collection of pronouns – 'a' which means 'which' and it mutates the verb which follows it.

Ann: O diar! Mae un stondin arall ym Mhabell y Berfau:
Oh dear! There's one more stand in the Verbs Tent.

Dai: Rhywbeth hawdd, gobeithio.
Something easy, I hope.

STONDIN Y 'CWESTIYNAU ERAILL'
THE 'OTHER QUESTIONS' STAND

Mae'r Treiglad Meddal yn dilyn **PA? BETH? PWY? SUT?**
The Treiglad Meddal follows PA? BETH? PWY? SUT?

Oes rhywbeth ofnadwy wedi digwydd i'r Treiglad Meddal? Gadewch i ni **wr**ando:
Has something terrible happened to the Treiglad Meddal? Let's listen:

Beth **dd**igwyddodd yn y **b**rif **f**ynedfa y bore 'ma?
What happened at the main entrance this morning?

Wn i **dd**im.
I don't know.

Pwy **g**eisiodd ymosod ar y Treiglad Meddal?
Who tried to attack Treiglad Meddal?

Wn i **dd**im.
I don't know.

Pwy **w**elodd y **f**rwydr? Eich ffrind chi efo'r camera?
Who saw the fight? Your friend with the camera?

Dwi'n meddwl.
I think so.

Beth **dd**wedodd o?
What did he say?

Rhywbeth am **dd**ysgwyr.
Something about learners.

Sut **dd**ysgwyr oedden nhw?
What sort of learners were they?

Wn i **dd**im.
I don't know.

Pa **r**ai?
Which ones?

Wn i **dd**im.
I don't know.

Pa **f**ath o **b**erson **f**yddai'n gwneud hyn?
What sort of person would do that?

Wn i **dd**im.
I don't know.

Beth dach chi'n **f**eddwl am y peth?
What do you think about it?

Dim byd.
Nothing.

Beth fydd eich ffrind yn **dd**weud pan **g**yrhaeddith yr heddlu?
What will your friend say when the police arrive?

Wn i **dd**im.
I don't know.

Dach chi **dd**im yn gwybod llawer. Beth dach chi'n **w**neud i ennill eich bywoliaeth?
You don't know much. What do you do for a living?

Dwi'n **o**hebydd efo'r BBC.
I'm a BBC reporter.

Pa **r**aglen?
Which programme?

Y Newyddion.
The News.

Er nad ydy 'pan' yn gofyn cwestiwn, mae'r Treiglad Meddal yn ei **dd**ilyn.
Although 'pan' which means 'when' does not ask a question, the Treiglad Meddal follows it.

Mae enwau sy'n dilyn 'sut?' yn treiglo, ac yma mae 'sut?' yn golygu *'what kind of?'*. Pan fydd berf yn dilyn 'sut' ac yn golygu *'how'*, does dim treiglad. e.e. Sut dechreuodd y **fr**wydr?
The nouns which follow 'sut?' mutate, and here 'sut?' means 'what kind/sort of?'. When a verb follows 'sut', meaning 'how', there is no mutation. e.g. How did the fight start?

Mewn cwestiwn sy'n dechrau efo 'beth?' mae'r **f**erf yn treiglo oherwydd mae'n **dd**ealledig bod 'beth' eisiau 'ei' o flaen y **f**erf. e.e. 'Beth dach chi'n (ei) **f**eddwl?' Fel arfer, mae 'ei' yn diflannu ar **l**afar, ond mae'r treiglad yn aros.
In a question which starts with 'beth?' (what) the following verb relating to it mutates because it is understood that 'beth' needs an 'ei' before the verb. e.g. 'Beth dach chi'n (ei) feddwl?' ('What do you think?') Usually, in speech the 'ei' disappears but the mutation stays.

Mae un stondin arall ym Mhabell y Berfau – **stondin y gorchmynion.**
There's one more stand in the Verbs Tent – the commands stand.

STONDIN Y GORCHMYNION
THE COMMANDS STAND

Ar ôl gorchymyn, mae berfau ac enwau yn treiglo:
After a command, verbs and nouns mutate:

Ceisia **g**adw'n effro, Dai!
Try to stay awake, Dai.

Pryna **b**aned o **d**e i mi!
Buy me a cup of tea!

Cymer **o**fal! Mae o'n **b**oeth.
Take care! It's hot.

Cana **g**ân i ni yn **g**yntaf!
Sing a song for us first.

Iawn.
OK.

(Tôn: Gwŷr Harlech)

Mae'r hen ffurf gryno'n brifo fy mhe-en
Pryd bydd y diwrnod yn dod i **be**-en?
Mae fy meddwl i fel talp o **bre**-en
Hoffwn lyncu peint.
Ceisia gadw'n effro!
Ceisia gadw'n effro!
Dwi eisiau bod yn **b**ell o'ma
Ga' i fynd i fyw yn hen sir **B**enfro?
'Sgynnoch chi **g**alon, **D**reiglad Meddal?
Oes ots gyda chi beth rydw i'n feddwl?
Dwi'n haeddu rhyw fath o fedal.
Amser cymryd peint!

(Tune: Men of Harlech)

The old short form is hurting my head
When will the day end?
My mind is like a block of wood
I'd like to sink a pint.
Try to stay awake!
Try to stay awake!
I want to be far from here
Can I go and live in old Pembrokeshire?
Have you a heart, Treiglad Meddal?
Do you care what I think?
I deserve some kind of medal.
Time for a pint!

PABELL HYN A'R LLALL
BITS AND PIECES TENT

Mae nifer o eiriau poblogaidd (wel, poblogaidd efo'r Treiglad Meddal, beth bynnag) sy'n codi **b**ob amser. Gawn ni ymweld â'r stondinau?
There are a number of popular words (well, popular with the Treiglad Meddal anyway) which pop up all the time. Shall we visit the stands?

NEU
Dai: Wyt ti eisiau ymweld â'r stondin 'ma neu **b**eidio?
Do you want to visit this stand or not?

Ann: Tafla **g**einiog! Stondin 'neu' neu **b**aned o **d**e?
Toss a coin! 'Neu' stand or cup of tea?

Dai: Y **b**abell **d**e amdani. Tyrd, mi **b**ryna i **f**rechdan neu **g**acen i ti.
Let's go for the tea tent. Come on, I'll buy you a sandwich or a cake.

ONI

Chewch chi ddim mynd oni **dd**weda i wrthoch chi beth sy'n digwydd i 'oni'.
You can't go until I tell you what happens to 'oni'.

Dai: Dim diolch, Mistar Gwybod Popeth, dwi **dd**im eisiau cystadlu yn yr Eisteddfod **G**enedlaethol.
No thanks, Mistar Gwybod Popeth, I don't want to compete in the National Eisteddfod.

Iawn, ond cofiwch! Mae'r Treiglad Meddal yn dilyn 'oni' ond nid ar ôl 'c', 'p' a 't' – gwaith y Treiglad Llaes ydy hynny.
OK, but remember! The Treiglad Meddal follows 'oni' but not after 'c', 'p' and 't' – that's Treiglad Llaes's job.

NEWYDD

Ann: Mae newydd **d**roi pump o'r gloch. Bydd popeth ar **b**en mewn awr.
It's just gone (turned) five o'clock. Everything will be over in an hour.

Dai: Ond dim ond newydd gyrraedd ydan ni! Ydy'r Treiglad Meddal yma?
But we've only just arrived. Is Treiglad Meddal here?

Ann: Mae o newydd **a**dael, yn anffodus. Dim ond munud yn ôl.
He's just left, unfortunately. Just a minute ago.

DYMA, DYNA, DACW, YMA, YNA

Dai: Edrycha! Dyma **l**uniau o'r cyngerdd neithiwr.
Look! Here are pictures of the concert last night.

Ann: Dyna **d**elynores enwog. Dyna **d**elyn **f**awr sydd ganddi hi. Beth yw ei henw hi?
There's a famous harpist. That's a big harp she's got. What's her name?

Dai: Elinor Bennett, dwi'n meddwl – a dacw ŵr Elinor, yn rhoi gwobr i rywun. Mae o'n enwog hefyd, ond dwi **dd**im yn cofio pam.
Elinor Bennett, I think – and there's Elinor's husband giving a prize to someone. He's famous too, but I don't remember why.

Ann: Gwranda! Mae 'na **dd**arn o gerdd dant yn cael ei **g**anu yn y cefndir. Dyna **f**endigedig! O diar – dyna'r dyn drws nesaf fan'cw.
Listen! There's a piece of harp music being played in the background. That's beautiful. Oh dear – there's the man next door over there.

Dai: Lle mae o?
Where is he?

Ann: Dacw fo – wrth y stondin nesaf.
There he is – at the next stand.

DI-, CYD-, CAM-
Ann: Helô, Mr Jones. Am gyd-**dd**igwyddiad! Be dach chi'n wneud yma?
Hello Mr Jones. What a coincidence! What are you doing here?

Mr Jones: Hello, Miss O'Beithiol. Dwi'n cyd-**w**eithio efo'r Treiglad Meddal i helpu pobl dan anfantais.
Hello Miss O'Beithiol. I collaborate with Treiglad Meddal to help the disadvantaged.

Ann: Pa **b**obl dan anfantais dach chi'n helpu?
Which disadvantaged people are you helping?

Mr Jones: Y dysgwyr wrth **g**wrs. Mae rhai ohonyn nhw
wedi cael eu magu'n **dd**i-**G**ymraeg, druan ohonyn nhw,
ac mae'n rhaid i ni eu dysgu nhw sut i **g**yd-**f**yw efo ni.
*The learners of course. Some of them were brought up
non-Welsh speaking, poor things, and we must teach
them how to co-exist with us.*

Ann: O diar! Dwi'n gweld. Wel o leia mae gynnoch chi
amser. Dach chi'n **dd**i-**w**aith ar hyn o **b**ryd tydach?
*Oh dear! I see. Well at least you have time. You're
unemployed at the moment aren't you?*

Mr Jones: Ydw. **Di-w**aith ond nid yn **dd**i-**w**erth, ac mae
popeth yma yn **dd**i-**d**âl. Dwi'n gweithio yn **dd**i-**f**lino
dros yr achos, ond mae hon yn **d**asg **dd**i-**dd**iolch.
*Yes, unemployed but not useless, and everything here
is free. I work tirelessly for the cause, but it's a
thankless task.*

Ann: Dwi'n eich edmygu chi Mr Jones, ond dwi'n
gorfod mynd rŵan, i **g**ymysgu efo'r **b**obl eraill sydd dan
anfantais.
*I admire you Mr Jones, but I have to go now and mix
with the other disadvantaged people.*

Mr Jones: Peidiwch ag anghofio 'cam', Miss O'Beithiol
– camgymeriad, cam-**d**rin, cam**l**eoli, a'r lleill.
*Don't forget 'cam' Miss O'Beithiol – mistake, mis-treat,
mislay, and the rest.*

Ann: Mi wna i **g**eisio cofio, Mr Jones.
I'll try to remember, Mr Jones.

PABELL 'SÊL FAWR' (PA FAINT?)
'BIG SALE' TENT (HOW MUCH? HOW MANY?)

Mae nifer o **e**iriau sy'n cyfeirio at **f**esur neu **r**add amhendant ac sy'n cael eu dilyn gan y Treiglad Meddal. Mae fel ffair sborion yn y **b**abell yma – dillad, llyfrau, celfi, planhigion. Gawn ni weld a **f**ydd 'na **f**argeinion ar **g**ael?

There are a number of words which indicate an indefinite measure of quantity or degree and which are followed by the Treiglad Meddal. It's like a jumble sale in this tent – clothes, books, bric a brac, plants. Shall we see if there are any bargains?

AMBELL, GO, RHY, GWEDDOL
Ann: Ambell **w**aith mi fedrwch chi **g**ael bargen yn y **b**abell 'ma, ond mae'n **o** lawn ar hyn o **b**ryd. Gawn ni **dd**od yn ôl yn nes ymlaen?

Sometimes you can get a bargain in this tent, but it's quite full at the moment. Shall we come back later?

Dai: Dydy hi **dd**im yn rhy **dd**rwg. Mae'r stondin lyfrau yn edrych yn **o dd**a. Mae'r geiriadur yma yn **w**eddol **r**ad.

It's not too bad. The book stall looks quite good. This dictionary is fairly cheap.

MOR, AMRYW, UNRHYW, HOLLOL

Ann: Dydy'r stondin **dd**illad **dd**im mor **b**rysur rŵan. Wyt ti eisiau crys newydd?
The clothes stall isn't so busy now. Do you want a new shirt?

Dai: Mae gen i amryw **g**rysau pinc yn **b**arod, diolch yn fawr. Oes unrhyw liwiau eraill ganddyn nhw?
I've got several pink shirts already, thanks. Have they any other colours?

Ann: Beth wyt ti'n **f**eddwl o'r het efo'r plu? Ydy hi'n gweddu i mi?
What do you think of the hat with the feathers? Does it suit me?

Dai: Mae hi'n edrych yn hollol **d**wp efo dy sgidiau dringo.
It looks totally stupid with your climbing boots.

HOLL, HOLLOL, CYN, YCHYDIG, MOR, RHYW

Ann: Mae'r holl **b**abell yn llawn o **b**ethau hollol **dd**iwerth. Beth am **b**lanhigyn i dy **f**am?
The whole tent is full of completely useless things. What about a plant for your mother?

Dai: Cyn **b**elled ag y gwela i, mae'r planhigion cyn **f**arwed â hoelen ac mae'r pridd mor **g**aled â haearn.
As far as I can see the plants are as dead as a door nail and the soil is as hard as iron.

Ann: Dyna pam maen nhw mor rhad. Beth am ychydig **f**lodau mewn rhyw fath o fasged?
That's why they're so cheap. What about a few flowers in some kind of basket?

Dydy 'll' a 'rh' ddim yn treiglo ar ôl 'mor' a 'cyn'.
'Ll' and 'rh' don't mutate after 'mor' and 'cyn'.

Ann: Dyma Mistar Gwybod Popeth. Gofynna ei farn o am y blodau.
Here's Mr Gwybod Popeth. Ask his opinion of the flowers.

Dwi'n meddwl bod y rhosynnau cochion yn lled **b**rydferth. Ydy'n wir, maen nhw'n edrych yn lled **dd**a.
I think the red roses are rather pretty. Yes, indeed, they look pretty good.

Dai: Diolch yn fawr Mistar Gwybod Popeth.
Thanks very much Mr Gwybod Popeth.

Croeso. Dwi'n **f**odlon helpu unrhyw **b**ryd, unrhyw **l**e, gydag unrhyw **b**eth.
You're welcome. I'm happy to help any time, anywhere, with anything.

Ann: Lled? Cochion? Mae Mistar Gwybod Popeth yn rhy **g**lyfar i mi. Pryna dy **r**osynnau a gad i ni **f**ynd.
Lled? Cochion? Mr Gwybod Popeth is too clever for me. Buy your roses and let's go.

PABELL Y RHIFAU
THE NUMBERS TENT

Mae pump o **b**obl yma i'ch croesawu chi i'r **b**abell; un **f**erch, dau **dd**yn a dwy **g**ath.
Five people are here to welcome you to the tent; one girl, two men and two cats.

Dai: Mae hynna'n gwneud synnwyr. Ar ôl 'un' mae enwau benywaidd yn treiglo a phob enw yn treiglo ar ôl 'dau' neu '**dd**wy'.
That makes sense. 'One' mutates feminine nouns and all nouns mutate after 'two'.

Ann: Ond dwy **g**ath? O! Dwi'n gweld! Mae pawb mewn gwisg ffansi – maen nhw i gyd wedi eu gwisgo fel anifeiliaid.
But two cats? O! I see! Everyone's in fancy dress – all of them are dressed as animals.

Dai: Beth ydy'r llong **f**awr ar y llwyfan? Arch Noa ydy hi! A dacw'r Treiglad Meddal – fo ydy Noa!
What's that big boat on the stage? It's Noah's Ark! And there's Treiglad Meddal – he's Noah!

Ann: Am **dd**iddorol! Eistedda – mae'r sioe yn dechrau.
How interesting! Sit down – the show's starting.

Cnoc cnoc!
Knock knock!

Pwy sy' 'na?
Who's there?

Un llew ac un llewes.
One lion and one lioness.

Dewch i mewn a chroeso i chi.
Come in and welcome.

Dydy 'll' a 'rh' ddim yn treiglo ar ôl 'un', nac enwau gwrywaidd chwaith.
'Ll' and 'rh' don't mutate after 'un', and neither do masculine nouns.

Cnoc cnoc!
Knock knock!

Pwy sy' 'na?
Who's there?

Dwy **a**st. Does dim ond y **dd**wy ohonon ni.
Two bitches. There's just the two of us.

Mae'n **dd**rwg gen i, dydy hynny **dd**im yn **dd**igon da. Lle mae'r **dd**au gi?
I'm sorry, that isn't good enough. Where are the two dogs?

Mi **w**elon nhw ddwy **dd**afad ac aethon nhw i'w hela nhw.
They saw two sheep and went to chase them.

Mae'n rhaid i'r **dd**wy ohonoch chi aros. Pwy sy' nesaf?
You'll both have to wait. Who's next?

Cnoc cnoc!
Knock knock!

Pwy sy' 'na?
Who's there?

Dau **d**arw.
Two bulls.

Lle mae'r **dd**wy **f**uwch?
Where are the two cows?

Mae un ohonyn nhw'n rhoi help llaw yn y **b**abell **d**e – mae prinder llefrith. Ac mae'r llall yn un **w**irion. Mae hi'n poeni am ei dau **l**o, dydy hi **dd**im eisiau eu gadael nhw. Maen nhw'n **dd**au fis oed heddiw.
One of them is giving a helping hand in the tea tent – there's a milk shortage. And the other's a silly one. She's worried about her two calves, she doesn't want to leave them. They are two months old today.

Un drwg dach chi. Dyma'r ail **d**ro i chi chwarae'r un tric.
You're a bad 'un. This is the second time you've played the same trick.

Mae'n **dd**rwg gen i Mistar Noa. **Dd**ylen ni **dd**al yr ail **l**ong bore fory, 'ta?
Sorry Mr Noah. Should we catch the second boat in the morning then?

Dylech. A rŵan, ewch i **b**en y rhes, y **dd**au ohonoch chi!
You should. And now, go to the end of the line, both of you.

Tarw 1: (ar **b**en y rhes) Diolch byth. Dwi wedi cael llond bol ar Noa a'i gnoc cnoc. **A**wn ni i'r **d**ref am **b**eint?
Bull 1: (at the end of the line) Thank goodness. I've had more than enough of Noah and his knock knock. Shall we go to town for a pint?

Ann: A finnau, gawn ni ein dau **dd**od efo chi?
Me too, can we both come with you?

Mae 'ail' fel 'dau' a 'dwy' yn treiglo popeth sy'n ei **dd**ilyn. Mae'r trefnolion eraill ac enwau benywaidd sy'n eu dilyn yn treiglo.
e.e. y **d**rydedd **f**uwch, y **b**edwaredd **w**ers, y **b**umed **g**ath, y **b**ymthegfed **g**anrif, ac ati.
'Ail' like 'dau' and 'dwy' mutates everything which follows it. The other ordinals and feminine nouns which follow them mutate.
e.g. the third cow, the fourth lesson, the fifth cat, the fifteenth century etc.

Mae 'un' yn cael ei **dd**efnyddio i **o**lygu *'the same'* – ac yn y cyd-**d**estun hwn mae'r Treiglad Meddal yn dal i'w **dd**ilyn o. e.e. Rydan ni ein dau yn dod o'r un **d**ref.
'Un' is also used to mean 'the same' – and in this context the Treiglad Meddal still follows it. e.g. We both come from the same town.

Ar ôl 'saith' ac 'wyth' mae rhai pobl yn treiglo ceiniog a **ph**unt.
e.e. saith geiniog, saith **b**unt, wyth geiniog, wyth **b**unt.
After seven and eight some people mutate pennies and pounds.
e.g. seven pence, seven pounds, eight pence, eight pounds.

Dai: Amser cân eto!
Song time again!

(Tôn: Gee ceffyl bach)

Mae dau geffyl bach yn bwyta gwair
Gydag un gaseg – hi yw eu chwaer.
Lle mae'r ail gaseg? Mae hi ar y fron
Yn mwynhau ei hun gyda dau farch llon.

(Tune: Old nursery rhyme.)

Two little horses are eating hay
With one mare – she's their sister.
Where's the second mare? She's on the hill
Enjoying herself with two happy stallions.

Y TREIGLAD TRWYNOL

THE NASAL MUTATION

Hen fardd ydy'r Treiglad Trwynol. Dydy o ddim yn fardd da, ond mae o'n gwneud ei orau glas.
The Treiglad Trwynol is an old bard. He's not a very good one, but he does his best.

Mae'r Treiglad Trwynol yn gweithio efo chwe llythyren:
The Treiglad Trwynol works with six letters:

c		ngh
g	Sy'n troi yn	ng
p	*which become*	mh
t		nh
b		m
d		n

Efallai basech chi'n hoffi clywed sut dyfeisiodd Twm Trwynol (ei enw barddol) ei dreiglad.
Dechreuodd efo 'fy'.
Perhaps you'd like to hear how Twm Trwynol (his bardic name) invented his treiglad. He started with 'fy' (my).

FY
(MY)

Ers talwm, cafodd Twm Trwynol ei eni efo trwyn hir ac roedd o'n siarad trwy ei drwyn.
Once upon a time, Twm Trwynol was born with a long nose and he talked through his nose.

Fel plentyn, pan fyddai Twm bach yn syrthio byddai'n llefain, 'Mam, dwi wedi brifo fy **ngh**oes, fy **mh**en, fy **m**raich, fy **nh**rwyn' . . . neu beth bynnag.
As a child, when little Twm fell over he would wail, 'Mam, I've hurt my leg, my head, my arm, my nose' . . . . or whatever.

Roedd o'n ganwr da a phan ganai ei delyn yng **ngh**anol y cae y tu allan i'r bwthyn byddai'n canu:
He was a good singer and when he played his harp in the middle of the field outside the cottage he would sing:

'ng . . . ngh . . . nh . . . n . . . mh . . . mmmmmm . . .'

'Pam nad wyt ti'n canu "do re mi" fel plant eraill?' gofynnodd ei fam.
'Why don't you sing "do re mi" like other children?' his mother asked.

'Dwi eisiau bod yn fardd a dyfeisio fy **nh**reiglad fy hun,' atebodd.
'I want to be a bard and invent my own mutation,' he replied.

'Mae gynnon ni hen ddigon o dreigladau, Twm,' meddai ei fam. 'Does neb eisiau un arall.'
'We've got more than enough mutations, Twm,' said his mother. 'Nobody wants another one.'

Ond daliodd Twm i ganu ei ganeuon ei hun ac roedd pobl yr ardal yn hoffi ei sŵn newydd.
But Twm kept on singing his own songs and the local people liked his new sound.

Un diwrnod pan oedd Twm yn laslanc, daeth bardd crwydrol i'r pentre, a chlywodd am y bardd lleol a oedd wedi dyfeisio treiglad newydd. 'Ga' i wrando ar un o dy ganeuon?' gofynnodd y bardd.
One day when Twm was a teenager, a wandering bard came to the village and heard about the local bard who had invented a new mutation. 'Can I listen to one of your songs?' asked the bard.

Canodd Twm ei gân ddiweddaraf 'Mae fy **m**raich yn brifo a fy **ng**waed yn llifo'.
Twm sang his most recent song 'My arm is hurting and my blood is flowing'.

'Llais neis,' meddai'r bardd. 'Bechod am y gân. Sut mae dy dreiglad newydd yn mynd?
'Nice voice,' said the bard. 'Pity about the song. How does your new treiglad go?'

Cododd Twm ei delyn a dechrau canu:
Twm picked up his harp and started singing:

Eich cariad chi ydy fy **ngh**ariad i
Eich gafr chi ydy fy **ng**afr i
Eich teulu chi ydy fy **nh**eulu i
Eich pres chi ydy fy **mh**res i
Eich defaid chi ydy fy **n**efaid i
Eich buchod chi ydy fy **m**uchod i.

Your sweetheart is my sweetheart
Your goat is my goat
Your family is my family
Your money is my money
Your sheep are my sheep
Your cows are my cows.

Roedd y bardd wedi ei synnu. 'Wel,' meddai, 'dydw i ddim yn hoffi dy wleidyddiaeth ond dwi'n hoffi dy dreiglad. Dal ati!' Gadawodd y bardd.
The bard was astonished. 'Well,' he said, 'I don't like your politics, but I like your mutation. Keep at it!' And he left.

'Eich gwleidyddiaeth chi ydy fy **ng**wleidyddiaeth i . . . ' canodd Twm ar ei ôl, ond roedd y bardd wedi mynd i sôn wrth feirdd eraill am 'Dreiglad Twm'.
'Your politics are my politics . . . ' sang Twm after him, but the bard had gone off to tell other bards about 'Treiglad Twm'.

Mae'r treiglad yn gweithio efo berfenwau hefyd.
The treiglad works with verb-nouns too.

Does neb yn fy **ngh**aru i, ar wahân i fy **ngh**i – mae o'n fy **n**ilyn i bobman.
Nobody loves me, except for my dog – he follows me everywhere.

Peidiwch ag anghofio'r geiriau bach e.e.
Don't forget the little words e.g.

Dwi'n mynd i Gaerdydd ar fy **mh**en fy hun.
I'm going to Cardiff on my own.

Peidiwch â thorri ar fy **nh**raws.
Don't interrupt me.

Ewch o fy **m**laen.
Go ahead of me.

Daeth yr Archdderwydd i'r pentre i gael gwybod am 'Dreiglad Twm'. 'Oes gynnoch chi syniadau eraill am y treiglad?' holodd yr hen fardd doeth. 'Yn fy **m**arn i, fyddwch chi byth yn llwyddiannus efo dim ond "fy".'

The Archdruid came to the village to find out about 'Treiglad Twm'. 'Have you any other ideas for the treiglad?' enquired the wise old bard. 'In my opinion you will never be successful with just "fy".'

'Dwi wedi dechrau gweithio ar fy **nh**reiglad ar ôl "yn",' meddai Twm.

'I've started working on my treiglad after "yn",' said Twm.

YN + LLEOEDD
(iN + PLACES)

Mae'r treiglad yn gweithio efo 'yn' + lleoedd. Nid yw'n gweithio efo 'yn' + adferfau nac 'yn' + ansoddeiriau (Treiglad Meddal) nac 'yn' + berfenwau (dim treiglad).

The treiglad works only with 'yn' + places, not 'yn' with adverbs or adjectives, which take the Treiglad Meddal, nor 'yn' with verb-nouns (no treiglad).

e.e. Cerddodd yn gyflym (adferf + Treiglad Meddal). *He walked quickly.*
Roedd hi'n garedig wrtha i (ansoddair + Treiglad Meddal). *She was kind to me.*
Mae'r haul yn gwenu (berfenw + dim treiglad). *The sun is shining.*
Canodd yng **Ngh**apel Bethel (Treiglad Trwynol). *He sang in Bethel Chapel.*

'Felly, sut mae hynny'n gweithio?' gofynnodd yr Archdderwydd.
'So, how does that work?' asked the Archdruid.

Cododd Twm ei delyn a dechrau canu:
Twm took up his harp and started singing:

'Collais fy **ngh**alon yng **ngh**aeau Tir Canol.'
'I lost my heart in the fields of Tir Canol.'

'Da iawn,' meddai'r Archdderwydd. 'Beth arall?'
'Very good,' said the Archdruid. 'What else?'

'Collais fy **ngh**alon yng **ngh**egin drws nesaf, yn **nh**afarn y Llew Coch, ym **mh**ob pentre yn yr ardal, yn **n**rws y Neuadd Goffa, yn **n**osbarth Mrs Morgan, ym **m**eudy fy **nh**aid, yng **ng**olau'r lleuad . . . ' (a llawer o leoedd eraill) . . .

'I lost my heart in the kitchen next door, in the Red Lion pub, in every village in the area, in the Memorial Hall doorway, in Mrs Morgans class, in my grandad's cowshed, in the light of the moon . . . ' (and many other places) . . .

Cofiwch y gwahaniaeth rhwng 'mewn' ac 'yn'. I ddefnyddio'r Treiglad Trwynol mae'n rhaid bod 'yn' yn cyfeirio at le penodol e.e. **y** gegin drws nesaf, tafarn **y** Llew Coch, ac ati.

Remember the difference between 'mewn' and 'yn'. To use the Treiglad Trwynol 'yn' must refer to a specific place e.g. the kitchen next door, the Red Lion pub, and so on.

Mae 'yn' yn newid hefyd – i '**yng**' cyn geiriau sy'n dechrau efo 'c' a 'g' ac i '**ym**' cyn geiriau sy'n dechrau efo 'p' a 'b'.

'Yn' changes as well – to 'yng' before words starting with 'c' and 'g' and to 'ym' before words starting with 'p' and 'b'.

'Daliwch ati, Twm,' meddai'r Archdderwydd. Aeth Twm yn fardd crwydrol. Byddai negeswyr yn rhedeg o'i flaen yn gweiddi, 'Mae Twm Trwynol yn dod. Mi fydd o'n canu yng **ngh**anol y pentre, yng **ngh**ae Pen y Bryn,' neu ble bynnag . . .

'Keep at it, Twm,' said the Archdruid. Twm became a wandering bard. Messengers would run ahead of him shouting 'Twm Trwynol is coming. He'll be singing in the middle of the village, in Pen y Bryn field,' or wherever . . .

Cymerodd Twm bob cyfle i ddefnyddio'r treiglad newydd efo cân newydd ym **mh**obman.
Twm took every opportunity to use the new treiglad with a new song everywhere.

Daeth yn seren dros nos efo'i ganeuon enwog:
He became a star overnight with his famous songs:

'Gadawais fy **nh**elyn ym **Mh**antycelyn'
'I left my harp in Pantycelyn'

'Collais fy **mh**en yng **Ngh**arreg Wen'
'I lost my head in Carreg Wen'

'Collais fy **ng**wallt yn **Nh**an yr Allt'
'I lost my hair in Tan yr Allt'

'Torrais fy **n**ant yn **N**rws y Nant'
'I broke my tooth in Drws y Nant'

74

'Agorais fy **ngh**eg yng Ngelli-deg'
'I yawned in Gelli-deg'

'Collais fy **nh**ymer ym **Mh**entrellyncymer'
'I lost my temper in Pentrellyncymer'

'Torrais fy **ngh**oes ym **Mh**en-y-groes'
'I broke my leg in Pen-y-groes'

Chwythais fy **nh**rwyn yng **Ngh**rochan Llanddwyn'
'I blew my nose in Crochan Llanddwyn'

'Gadewais fy **nh**arw ym **M**laengarw'
'I left my bull in Blaengarw'

'Collais fy **nh**afod ym **M**oel Siabod'
'I lost my tongue in Moel Siabod'

Er nad ydy 'm' yn treiglo, mae 'yn' yn troi'n '**ym**' cyn geiriau sy'n dechrau efo 'm'.
Although 'm' doesn't mutate, 'yn' changes to 'ym' before words which start with 'm'.

Roedd o eisiau ysgrifennu cân er clod i Gymru a dechreuodd, 'Mae hen wlad fy **nh**adau . . . ' ond fedrai o ddim meddwl am ail linell. (Fel dwedais i, bardd gwael oedd o.)
He wanted to write a song in honour of Wales and he started, 'The old land of my fathers . . . ' but he couldn't think of a second line. (As I said, he was a poor poet.)

75

Rhoddodd yr Archdderwydd a'r beirdd wahoddiad i Twm ddod i'r Eisteddfod i wneud ei dreiglad yn swyddogol. A dweud y gwir, roedden nhw'n meddwl nad oedd yr enw 'Treiglad Twm' yn ddigon parchus i'r hen iaith.

The Archdruid and the bards invited Twm to the Eisteddfod to make his treiglad official. To tell the truth, they thought the name 'Treiglad Twm' wasn't respectable enough for the old language.

'Hir oes i'r Treiglad Trwynol!' gwaeddodd yr Archdderwydd, a rhoddodd fedal aur i Twm.

'Long live the Nasal Mutation,' shouted the Archdruid, and he gave Twm a gold medal.

Roedd Twm wrth ei fodd a phenderfynodd ymddeol i weithio ar ei brosiect nesaf.

Twm was delighted and decided to retire to work on his next project.

Y BLYNYDDOEDD
THE YEARS

Mae'r Treiglad Trwynol yn cael ei ddefnyddio i ddisgrifio unrhyw flwyddyn neu oedran sy'n cynnwys y rhifau 5, 7, 8, 9 a 10.

The Treiglad Trwynol is used to describe any year or a person's age which include the numbers 5, 7, 8, 9 and 10.

Flynyddoedd yn ddiweddarach, aeth Twm i'r Eisteddfod eto i gyflwyno ei system newydd. Dechreuodd adrodd:

Years later, Twm went to the Eisteddfod again to introduce his new system. He began to recite:

pum **m**lynedd	pum **m**lwydd oed	*Five years*	*five years old*
saith **m**lynedd	saith **m**lwydd oed	*seven years*	*seven years old*
wyth **m**lynedd	wyth **m**lwydd oed	*eight years*	*eight years old*
naw **m**lynedd	naw **m**lwydd oed	*nine years*	*nine years old*

'A phopeth sy'n cynnwys deg!' gwaeddodd Twm yn wên o glust i glust.

'And everything which includes ten!' shouted Twm with a broad smile.

'O diar!' meddai'r Archdderwydd gan geisio cadw'n effro.
'Oh dear!' said the Archdruid trying to stay awake.

Ledled Cymru mae rhai sy'n dweud – ac yn ysgrifennu hyd yn oed – 'chwe mlynedd'. Dydy hyn ddim yn ramadegol gywir, ond cofiwch, peidiwch â sôn am y peth wrth y Cymry Cymraeg – eu hiaith nhw ydy hi!
All over Wales some people say – and even write – 'chwe mlynedd'. This is not grammatically correct, but remember, don't mention it to a Welsh speaker – it's their language!

Roedd Twm eisiau ychwanegu 'un' at ei gasgliad, ond gwrthododd yr Archdderwydd roi 'un' iddo. Y Treiglad Meddal biau 'un flwyddyn' ac nid oedd o'n cael cyffwrdd â 'blwydd oed'. Ond roedd Twm yn slei. Pan drodd yr Archdderwydd ei gefn, sleifiodd Twm 'un mlynedd' i mewn bob tro arall mae 'na 'un' yn y flwyddyn. Aeth Twm ymlaen:
Twm wanted to add 'one' to his collection, but the Archdruid refused to give him 'one'. 'Un flwyddyn' (one year) belonged to Treiglad Meddal and he couldn't touch 'blwydd oed' (a year old). But Twm was crafty. When the Archdruid turned his back Twm, sneaked 'un mlynedd' in every other time there's a 'one' in the year. Twm went on:

de**ng m**lynedd	de**ng m**lwydd oed	*ten years*	*ten years old*
un **m**lynedd ar ddeg	un ar ddeg **m**lwydd oed	*eleven years*	*eleven years old*
deudde**ng m**lynedd	deudde**ng m**lwydd oed	*twelve years*	*twelve years old*
pymthe**ng m**lynedd	pymthe**ng m**lwydd oed	*fifteen years*	*fifteen years old*
un **m**lynedd ar bymtheg	un ar bymtheg **m**lwydd oed	*sixteen years*	*sixteen years old*

Gofalwch! Mae treiglad arall wedi sleifio i mewn: de**ng**, pymthe**ng**. Weithiau mae pobl yn dweud 'un ar ddeg mlwydd oed' ac 'un ar bymtheg mlwydd oed'.

Look out! Another treiglad has sneaked in: de**ng**, pymthe**ng**. *Sometimes people miss out the 'ng' in eleven and sixteen years old.*

deunaw **m**lynedd	deunaw **m**lwydd oed	*eighteen years*	*eighteen years old*
ugain **m**lynedd	ugain **m**lwydd oed	*twenty years*	*twenty years old*
un **m**lynedd ar hugain	un ar hugain **m**lwydd oed	*twenty one years*	*twenty one years old*

Aeth Twm ymlaen (ac ymlaen, ac ymlaen): . . . pum **m**lynedd ar hugain . . . hanner can **m**lynedd . . . ond cyn i Twm gyrraedd can **m**lynedd a chan **m**lwydd oed roedd pawb wedi syrthio i gysgu.

Twm went on (and on, and on): . . . twenty five years . . . fifty years . . . but before Twm reached one hundred years and one hundred years old everyone had fallen asleep.

Mae sawl ffordd o ddweud blynyddoedd e.e. mae 87 yn saith **m**lynedd a phedwar ugain, neu wyth deg saith **m**lynedd; mae 38 yn ddeunaw **m**lynedd ar hugain neu dri deg wyth **m**lynedd. Does dim ots pa un dach chi'n ddefnyddio – efo 5,7,8,9,10 does dim dianc rhag y Treiglad Trwynol.
There are many ways of counting years, but it doesn't matter which one you use – with 5,7,8,9 and 10 there's no escape from the Treiglad Trwynol.

Mae'r un rhifau yn achosi'r Treiglad Trwynol efo 'diwrnod'. Byddwch chi'n gweld 'saith **n**iwrnod', 'pymtheng **n**iwrnod', 'can **n**iwrnod' ac ati mewn llyfrau, ond mae llawer o bobl yn anghofio am y treiglad ar lafar ac yn dweud 'saith diwrnod'.
The same numbers cause a Treiglad Trwynol with 'diwrnod' (a complete day). You will see examples in books, but many people forget about the mutation in speech.

Mewn rhai geiriau sy'n dechrau efo 'an' i ddangos y gwrthwyneb, mae'r Treiglad Trwynol yn ymddangos efo'r 'an' e.e.
In some words which start with 'an' indicating an opposite meaning, the Treiglad Trwynol appears with the 'an' e.g.

an**gh**ofio – *to forget*
an**gh**ysurus – *uncomfortable*
an**gh**yfarwydd – *unfamiliar*
an**gh**yfreithlon – *illegal*
am**h**endant – *indefinite, vague*
an**h**refn – *disorder*
an**nh**eg – *unfair*

Ond peidiwch â phoeni – mae'r treiglad yno yn barod, does dim eisiau i chi wneud unrhyw beth amdano fo.
But don't worry – the treiglad is already there, there's no need for you to do anything about it.

A beth ddigwyddodd i Twm Trwynol? Aeth i'r nefoedd, ac fel dach chi'n gwybod, Cymraeg ydy iaith y Nefoedd – mae pawb yno yn siarad Cymraeg – felly cafodd Twm groeso mawr. Mae o'n cadw llygad arnoch chi pan fydd 'fy' ac 'yn' yn codi. Gyda llaw – faint ydy'ch oed chi? Mae o yno'n aml ar ddydd eich pen-blwydd.

And what happened to Twm Trwynol? He went to heaven, and as you know, Welsh is the language of heaven – everyone there speaks Welsh – so Twm had a big welcome. He keeps an eye on you when 'fy' and 'yn' come up. By the way – how old are you? He's often there on your birthday.

Y TREIGLAD LLAES

THE ASPIRATE MUTATION

Tipyn o ddiogyn yw'r Treiglad Llaes. A **ph**am lai? Does ganddo fo ddim llawer o waith i'w wneud. Mae o'n fodlon treulio ei amser yn cysgu dan goeden a gwylio'r Treiglad Meddal yn rhuthro o gwmpas i bobman. Dim ond efo'r llythrennau 'c', 'p' a 't' mae'r Treiglad Llaes yn gweithio, ac maen nhw'n newid i 'ch', 'ph' a 'th' pan fydd ei gloc larwm yn canu. Bywyd hawdd, yn tydi? Gawn ni weld.

The Treiglad Llaes is a bit of a lazybones. And why not? He doesn't have a lot of work to do. He is content to spend his time sleeping under a tree watching Treiglad Meddal rushing around everywhere. Treiglad Llaes works with only three letters, 'c', 'p' and 't' which change to 'ch', 'ph' and 'th' when his alarm clock rings. An easy life, isn't it? Let's see.

EI . . . HI ac I'W . . . HI
(HER and TO HER)

Mae ei gloc larwm yn canu pan ddaw cyfle i suddo i'w **ch**ôl hi. Pan fydd 'ei . . . hi' yn cyrraedd . . .
His alarm clock goes off when the chance comes to sink into 'her' bosom. When 'ei . . . hi' comes along . . .

. . . yn gyrru ei **ch**ar hi – *driving her car*

. . . yn gwisgo het newydd ar ei **ph**en hi – *wearing a new hat on her head*

. . . yn mynd am dro gyda'i **th**eulu a'i **ch**i hi – *going for a walk with her family and her dog*

. . . yn croesawu ffrind i'w **th**ŷ hi – *welcoming a friend to her house*

. . . dyma'r Treiglad Llaes yn ei **ch**ôl hi – *there's Treiglad Llaes in her bosom.*

Pan fydd 'ei . . . hi' yn gweithio gyda berfenw bydd y Treiglad Llaes yno eto.
When 'her' works with a verb-noun Treiglad Llaes is there again.

85

Mi fedrwn i ei **ch**lywed hi'n gweiddi o'r ystafell nesaf. Roedd hi wedi colli ei **th**ymer efo ei **ph**lant. Roedden nhw wedi anghofio ei **ph**aratoi hi ar gyfer eu syrpréis mawr. Roedden nhw wedi prynu mwnci iddi ar ei **ph**en-blwydd. Roedd rhaid i'w gŵr ei **th**ynnu hi i ffwrdd.

I could hear her shouting from the next room. She had lost her temper with her children. They had forgotten to prepare her for their surprise. They had bought a monkey for her birthday. Her husband had to drag her away.

Er ei bod hi'n bwysig cofio bod 'ei' a 'hi' yn lapio o gwmpas enwau a berfenwau, does dim rhaid defnyddio 'hi' bob amser.

Although it is important to remember that 'ei' and 'hi' wrap around nouns and verb-nouns, there is no need to use 'hi' to complete the wrap every time.

TRI a CHWECH
(THREE and SIX)

Mae'r Treiglad Llaes yn deffro i ddilyn 'tri' a 'chwech' hefyd.
Treiglad Llaes also wakes up to follow three and six.

Ga'i dri **th**ocyn os gwelwch yn dda?
Can I have three tickets please?

Aeth chwe **ch**ant o bobl i'r cyngerdd. Yn anffodus doedd 'na ddim ond tri **ch**ant o seddau ar gael.
Six hundred people came to the concert. Unfortunately there were only three hundred seats available.

Yn sioe gŵn y pentre, mi enillodd Siân a'i **ch**i gystadleuaeth 'y chwe **ch**oes orau'. Mae'n rhaid i mi ddweud bod coesau'r ci yn well na'i **ch**oesau hi!

In the village dog show, Siân and her dog won the competition for the 'six best legs'. I must say the dog's legs were better than hers!

Dim ond 'tri' + enwau gwrywaidd y mae'r Treiglad Llaes yn ei ddilyn. Does dim treiglad ar ôl 'tair' + enwau benywaidd. e.e. 'Tair torth wen, os gwelwch yn dda.'

Treiglad Llaes only follows three with a masculine noun. There is no mutation after 'tair' with feminine nouns. e.g. 'Three white loaves please.'

GYDA
(*WITH*)

Mae'r Treiglad Llaes yn hoff iawn o 'gyda' sy'n golygu *'with'*. Mi welwch chi 'gyda' ym mhobman mewn papurau newydd a llyfrau a'i glywed ar y teledu ac yn ne Cymru.
Treiglad Llaes is very fond of 'gyda' which means 'with'. You will see 'gyda' everywhere in newspapers, and books and hear it on television and in south Wales.

Trawodd hi'r wenynen feirch gyda **ph**apur newydd. Dihangodd y wenynen a'i **ph**igo hi ar ei **th**alcen.
She hit the wasp with a newspaper. The wasp escaped and stung her on the forehead.

Cyrhaeddodd Sion Corn gyda **th**eganau ar gyfer y plant.
Santa Claus came with toys for the children.

Pan rydan ni'n mynd allan i fwyta, rydan ni'n hoffi potelaid o win gyda **ch**inio.
When we go out to eat, we like a bottle of wine with dinner.

Mae Cymraeg gogledd Cymru'n garedig iawn wrth ddysgwyr. 'Efo' nid 'gyda' mae pobl y gogledd yn ei ddweud ar lafar a dydy 'efo' ddim yn achosi treiglad.

North Wales Welsh is very kind to learners. In speech people in north Wales use 'efo' not 'gyda' and 'efo' does not cause a mutation.

A
(AND)

Mae'r Treiglad Llaes yn hoffi codi yn y bore i weithio gydag 'a' ei ffrind gorau.
Treiglad Llaes likes getting up in the morning to work with his best friend 'a' which means 'and'.

Pawb a **ph**opeth – *Everybody and everything*
Ffrindiau a **ch**ymdogion – *Friends and neighbours*
Bara a **ch**aws – *Bread and cheese*
Trosodd a **th**rosodd – *Over and over*
Torthau a **ph**ysgod – *Loaves and fishes*
Nain a **th**aid – *Grandma and grandad* (yn y gogledd)
Mam-gu a **th**ad-cu – *Grandma and grandad* (yn y de)
Halen a **ph**upur – *Salt and pepper.*

'Ond,' dwi'n eich clywed chi'n dweud, 'dwi wedi clywed Cymry Cymraeg yn dweud "bara caws" neu "halen a pupur".'
'But', I hear you say, 'I've heard Welsh people say "bara caws" or "halen a pupur".'

Iawn. Ond peidiwch â dweud wrth y Treiglad Llaes. Mae o'n mynd allan o ffasiwn mewn Cymraeg llafar. Weithiau mae pobl yn ei anghofio fo'n llwyr, ac weithiau mae'r Treiglad Meddal yn dwyn ei le o.
O.K. but don't tell Treiglad Llaes. He's going out of fashion in spoken Welsh. Sometimes people forget him altogether, and sometimes Treiglad Meddal steals his place.

Ond, fydd o ddim yn diflannu o Gymraeg ysgrifenedig ac mae 'na ddigon o bobl sy'n defnyddio'r Treiglad Llaes bob dydd.
But he won't disappear from written Welsh and there are plenty of people who use the Treiglad Llaes in everyday speech.

Peidiwch â **ch**ywiro Cymraeg y Cymry Cymraeg BYTH! Cymraeg ydy eu hiaith nhw – mi gân' nhw wneud beth bynnag maen nhw eisiau gyda hi.
NEVER correct a native Welsh speaker's Welsh. It's their language – they can do whatever they like with it!

Mae'r Treiglad Llaes yn neidio i mewn ar ôl 'a' gyda berfenwau hefyd.
Treiglad Llaes jumps in after 'a' with verb-nouns too.

Aeth hi i M & S a **ph**rynu ffrog newydd.
She went to M & S and bought a new dress.

Pan welodd gwningen yn bwyta ei letys, rhegodd a **th**aflu carreg ati.
When he saw a rabbit eating his lettuce, he swore and threw a stone at it.

Cododd ei law a **ch**erdded i ffwrdd.
He waved and walked away.

Pan dorrodd y car, ffôniais i fy ngŵr. Does dim pwynt cadw ci a **ch**yfarth fy hun.
When the car broke down, I phoned my husband. There's no point in keeping a dog and barking myself.

Pan fydd ail ferf yn dilyn 'a' mae hi'n gywir i ddefnyddio'r berfenw yr ail dro, os bydd yr un person yn gwneud y ddau beth.
e.e. Cododd ei law a cherdded i ffwrdd.
When a second verb follows 'a' it is correct to use the verb-noun of the second verb, if the same person is doing both things – if he waved and walked away, fine, but if he waved and she walked away it has to be:
Cododd ei law a <u>**cherddodd**</u> hi i ffwrdd.

93

Â

Pan fydd 'â' yn gwisgo to bach, mae hi'n cael ei defnyddio mewn amryw ffyrdd yn Gymraeg. Mae'r Treiglad Llaes yn dilyn bob un ohonyn nhw, bob amser, ym mhobman!

When 'â' wears a to bach it is used in several ways in Welsh. Treiglad Llaes follows every one of them, every time, everywhere!

Mae gan Gymraeg draddodiad llafar cryf. Mae'n iaith sy'n hoff iawn o idiomau ac mae hynny'n cadw'r Treiglad Llaes 'cyn brysured â **ch**ynffon oen'.

Welsh has a strong oral tradition. It is very fond of idioms, which keep Treiglad Llaes 'as busy as a lamb's tail'.

Â + BERFAU
(Â + VERBS)

Mae'n amser gweithio Dreiglad Llaes! Mi fedrwch chi ddechrau gyda'r 'â' hawsaf.
Time to work Treiglad Llaes! You can start with the easiest 'â'.

Yr 'â' hawsaf ydy'r un sy'n gweithio efo berfau.
The easiest 'â' is the one which works with verbs.

Mae pawb yn gwybod 'peidio â'.
Everyone knows 'peidio â' – meaning 'don't' or 'stop'.

Peidiwch â **ph**oeni – *Stop worrying/Don't worry*
Peidiwch â **th**alu – *Don't pay*
Paid â **ch**anu (plis!) – *Don't sing (please!)*
Paid â **ch**wyno – *Stop complaining*
Peidiwch â **ch**yffwrdd – *Don't touch*
Peidiwch â **ph**etruso – *Don't hesitate*
Paid â **th**aro dy wraig! – *Stop hitting your wife!*

Y berfau cyffredin eraill sy'n defnyddio 'â' ydy: 'mynd â', 'dod â', a 'siarad â'.
The other common verbs which use 'â' are 'mynd â' – to take, 'dod â' – to bring, and 'siarad â' – to talk to/talk with.

Dwi'n dod â **ch**acen i'r bore coffi. Mi a' i â **th**amaid i Mrs Jones wedyn.
I'm bringing a cake to the coffee morning. I'll take a little bit to Mrs Jones afterwards.

Aethon ni â **ph**abell goch ar wyliau. Yn anffodus, roedden ni'n rhannu cae gyda **th**arw mawr du.
We took a red tent on holiday. Unfortunately, we were sharing a field with a big black bull.

Mae'n rhaid i mi siarad â **ph**lismon am y ddamwain.
I must talk to a policeman about the accident.

Dwi'n poeni am Megan. Mae hi'n siarad â **ch**oed a **ph**lanhigion eto.
I'm worried about Megan. She's talking to trees and plants again.

Aeth hi â **th**elyn i'r parti. Ond dach chi'n gwybod beth ddigwyddodd.
She took a harp to the party. But you know what happened.

Tasai hi wedi mynd â'i **th**elyn hi i'r parti, mi fasai'r Treiglad Llaes yn dal i fod yno.
If she had taken <u>her</u> harp to the party, Treiglad Llaes would still have been there.

Ar wahân i'r rhain, mae hi'n hawdd dweud pa ferfenwau sy'n cymryd â. Fel arfer, maen nhw'n dechrau efo 'cyf' neu 'cyff', 'cyd' neu 'cyt', 'cym' ac 'ym'.
Apart from these, it is easy to tell which verbs take â. They usually start with 'cyf' or 'cyff', 'cyd' or 'cyt', 'cym' and 'ym'.

Fel gohebydd chwaraeon mae o'n cyfarfod â **ph**êl-droedwyr enwog bob wythnos.
As a sports reporter he meets famous footballers every week.

Ar ei wyliau mae o'n hoffi ymweld â **th**afarnau gyda **ch**yfeillion.
On his holidays he likes to visit pubs with friends.

Cytunodd â **ph**enderfyniad y pwyllgor. Roedd yn rhaid i'r cadeirydd fynd.
He agreed with the committee's decision. The chairman had to go.

Dwi'n mynd yn dew. Yfory mi wna' i ymuno â **ch**lwb chwaraeon.
I'm getting fat. Tomorrow I will join a sports club.

Dwi'n teimlo'n nerfus pan dwi'n gorfod cymysgu â **ph**obl sy'n siarad Cymraeg yn rhugl.
I feel nervous when I have to mix with people who speak Welsh fluently.

MATH ARALL O Â
(ANOTHER KIND OF Â)

Peidiwch â **ch**ysgu Dreiglad Llaes. Mae'n rhaid i chi gadw eich llygaid yn agored i sylwi ar y geiriau bach sy'n codi ym mhobman gydag 'â' yn eu dilyn nhw.
Don't go to sleep Treiglad Llaes! You have to keep your eyes open to notice the little words which pop up everywhere with 'â' following them.

gyferbyn â – *opposite*
ynglŷn â – *concerning or relating to*
bron â – *nearly, almost*
o'i gymharu â – *compared with*
(a llawer mwy – *and many others*)

Digwyddodd y ddamwain gyferbyn â **th**ŷ Mair.
The accident happened opposite Mair's house.

Roeddwn i bron â **ch**olli fy nhymer.
I nearly lost my temper.

Mi ddylech chi siarad â **ch**adeirydd y Cyngor ynglŷn â **ch**aniatâd cynllunio.
You should talk to the chairman of the Council about planning permission.

Mi arhoson ni yn y maestrefi. Roedd hi'n dawel yno o'i gymharu â **ch**anol y ddinas.
We stayed in the suburbs. It was quiet there compared with the centre of the city.

YR Â OLAF
(THE FINAL Â)

Mae'r Treiglad Llaes yn mynd law yn llaw ag 'â' mewn cymalau cymharol sy'n golygu *'as'*.
Treiglad Llaes goes hand in hand with 'â' in comparative clauses where it means 'as'.

Mae rhai diarhebion Cymraeg mor hen â **ph**echod.
Some Welsh proverbs are as old as sin.

Mae fy chwaer i yr un oed â **ph**lentyn Aled.
My sister is the same age as Aled's child.

Aeth o cyn goched â **ch**eiliog twrci.
He went as red as a turkey cock.

Mae'r pwll yn ein gardd ni gystal â **ph**wll nofio'r ganolfan hamdden.
The pool in our garden is as good as the swimming pool in the leisure centre.

NA
(*THAN*)

Mewn cymalau cymharol tebyg mae 'na' yn defnyddio'r Treiglad Llaes hefyd.
In similar comparative clauses 'na' which means 'than' also uses the Treiglad Llaes.

Mae gorwedd yn y gwely yn well na **ch**odi'n fore.
Lying in bed is better than getting up in the morning.

Roedd y machlud yn gochach na **th**ân.
The sunset was redder than fire.

Mae rhoi'r gorau yn haws na **ph**arhau.
Giving up is easier than going on.

Ar ôl brecwast mi fydda i'n mynd am dro mwy na **th**ebyg.
After breakfast I'll go for a walk probably (literally: more than likely).

Mae rhai pobl yn dweud mai eithriad i'r rheol hon ydy 'ti'.
Some people say the exception to this rule is 'ti'.

Ar lafar efallai byddwch chi'n clywed: Rydw i'n ifancach na ti.
In spoken Welsh perhaps you will hear: Rydw i'n ifancach na ti.

Ond yn yr iaith ysgrifenedig efallai byddwch chi'n gweld: Rwyf fi'n ifancach na **th**i.
But in written Welsh perhaps you will see: Rwyf fi'n ifancach na **th**i.

NEGYDDION
(*NEGATIVES*)

Codwch Dreiglad Llaes! Mae 'na un dasg arall i'w gwneud.
Wake up Treiglad Llaes. There's one more job to do.

'Dwi'n teimlo'n negyddol am hyn.'
'I'm feeling negative about this.'

Ym modd negyddol y berfau sy'n dechrau gyda 'c', 'p' a 't', mae'n rhaid i'r Treiglad Llaes weithio'n galed iawn gyda ffurf gryno yr amser gorffennol a'r amser dyfodol.
In the negative mood of verbs which start with 'c', 'p' and 't', Treiglad Llaes has to work very hard with the short form of the past and future tenses.

Mae 'ni' ar ddechrau brawddeg negyddol yn yr iaith ffurfiol yn achosi'r Treiglad Llaes. Mae 'ni' ar goll ar lafar, ond mae'r treiglad yn dal i fod yno.
'Ni' at the start of a negative sentence in the formal language causes the Treiglad Llaes. The 'ni' is missing in speech but the treiglad still stands.

Chysgais i ddim neithiwr.
I didn't sleep last night.

Chysga' i ddim heno.
I won't sleep tonight.

Cherddon ni ddim i'r ysgol y bore 'ma.
We didn't walk to school this morning.

Cherddwn ni ddim i'r ysgol bore fory.
We won't walk to school tomorrow morning.

Thalodd o mo'r bil.
He didn't pay the bill.

Thalith o mo'r bil y tro nesaf chwaith.
He won't pay the bill next time either.

Syrthion nhw mewn cariad ar wyliau. **Pharith** o ddim.. (**Ph**arodd o ddim.)
They fell in love on holiday. It won't last. (It didn't last.)

Ches i ddim cinio heddiw.
I had no dinner today.

Fel dach chi'n gwybod, mae 'na lawer (gormod!) o ffyrdd o ddweud *'yes'* a *'no'* yn Gymraeg. Mae'n dipyn o hunllef i ddysgwyr. Mae'n rhaid beio'r Treiglad Llaes am un ohonyn nhw.
As you know there are many (too many!) ways to say 'yes' and 'no' in Welsh. It's a bit of a nightmare for learners. Treiglad Llaes is to blame for one of them.

Yn amser dyfodol y ferf 'cael', pan dach chi eisiau dweud *'no'* mae Treiglad Llaes yn codi ei ben bob amser. I wneud pethau'n fwy cymhleth, mae 'cael' yn estyn ei ystyr yn yr amser dyfodol.

In the future tense of the verb 'cael', when you want to say 'no' Treiglad Llaes pops up every time. To make things more complicated, 'cael' stretches its meaning somewhat in the future tense, so 'mi gewch chi' means 'you will have' but it also means 'you are allowed to' or 'you may'. Extending 'may' even further, in everyday speech it may be used in place of 'can I have' as in 'Ga'i air efo Siân?' 'Can I (may I) have a word with Siân?'

Gan mai dim ond un gair am *'can'* sydd yn Saesneg, yn aml mae dysgwyr yn defnyddio 'medru' neu 'gallu' yn lle 'cael'. Yn Gymraeg mae'r gwahaniaeth rhwng y ddau dro i ddweud *'can'* yn syml i'w ddeall. Mae 'cael' = *'can'* yn dangos caniatâd. Mae 'medru/gallu' = *'can'* yn dangos sgil neu medr/gallu.

Because there is just one word for 'can', in English, often learners use 'medru/gallu' = 'can' in place of 'cael' = 'can'. In Welsh the difference between the two ways of saying 'can' is simple to understand. 'Cael' = 'can' is a matter of permission. 'Medru/gallu' = 'can' is a matter of ability.

Ga'i smocio yn y gegin? Na **cha'**. **Cha'** i ddim smocio yn y gegin.
May I smoke in the kitchen? No. (i.e.I'm not allowed to). I can't smoke in the kitchen.

Ga' i smocio yn yr ystafell fwyta? Na **chei**. **Chei** di ddim smocio yn yr ystafell fwyta.
May I smoke in the dining room. No. You're not allowed to (you can't) smoke in the dining room.

Geith Huw gysgu yma heno? Na **cheith**. **Cheith** o ddim cysgu yma heno.
May Huw sleep here tonight? No. He can't sleep here tonight.

Gawn ni fynd i Gaerdydd yfory? Na **chewch**. **Chewch** chi ddim mynd i Gaerdydd yfory.
May we go to Cardiff tomorrow? No. You can't go to Cardiff tomorrow.

Gewch chi ymweld â Mair yn yr ysbyty? Na **chawn**. **Chawn** ni ddim ymweld â Mair yn yr ysbyty.
Are you allowed to visit Mair in hospital? No. We are not allowed to visit Mair in hospital.

Gân nhw fenthyg y car? Na **chân**. **Chân** nhw ddim.
May they borrow the car? No. They may not.

Geith y Treiglad Llaes fynd yn ôl i gysgu rŵan?
Can Treiglad Llaes go back to sleep now?

Na **cheith** – mae gan Mistar Gwybod Popeth fwy o waith iddo.
No – Mr Gwybod Popeth has some more work for him.

TRA
(VERY)

Mae Mistar Gwybod Popeth eisiau dangos y Treiglad Llaes ac ychydig o eiriau bach sy'n codi yn yr iaith ffurfiol a'r iaith lenyddol.
Mr Gwybod Popeth wants to show the Treiglad Llaes and a few words which crop up in the formal and literary language.

Fel arfer mae 'tra' yn golygu *while* a does dim treiglad ar ôl 'tra' yn yr achos hwn. Ond mae 'tra' yn golygu *very* hefyd ac mae angen y Treiglad Llaes ar ôl y 'tra' yma.
Usualy 'tra' means 'while' and there is no mutation after 'tra' in this case. But it also means 'very' and when it does this 'tra' needs a Treiglad Llaes.

Ar ôl i Nain farw, roedd y Parchedig Davies yn dra **ch**aredig wrthon ni.
When Granny died, Reverend Davies was very kind to us.

TUA
(*ABOUT*)

Dydy'r Treiglad Llaes ddim yn gwybod a yw'n mynd i ddeffro ai peidio ar gyfer 'tua'.
Treiglad Llaes doesn't know whether to wake up or not for 'tua' which means about, towards.

Mae llawer o bobl yn anghofio amdano fo ar ôl 'tua' wrth siarad, ond maen nhw'n dal i'w ddefnyddio fo mewn Cymraeg ysgrifenedig.
Many people forget about him after 'tua' when speaking, but they still use him in written Welsh.

Mae'r plant yn dod adref o'r ysgol tua **ph**edwar o'r gloch.
The children come home from school about four o'clock.

Mae hi tua **ph**um milltir i'r blwch ffôn agosaf.
It's about five miles to the nearest phone box.

Dwi eisiau tua **thri ph**wys o foron, os gwelwch yn dda. Dim ond tri **ph**wys!
I want about three pounds of carrots please. Only three pounds!

Cychwynodd tua **th**ref am chwech o'r gloch.
He set off for home at six o'clock.

Efallai eich bod chi'n meddwl mai *'towards town'* ydy 'tua **th**ref', ond idiom ydy 'tua **th**ref' yn Gymraeg, sy'n golygu 'am adref'.
*You might think that 'tua **thref'** means 'towards town, but in Welsh 'tua **thref'** is an idiom used to indicate 'heading for home'.*

UN Â ARALL
(ANOTHER Â – WITH)

Fel ei ffrind da 'gyda', mae 'â' yn golygu *'with'* ond mae'n cael ei defnyddio'n amlach mewn Cymraeg ffurfiol neu lenyddol nag yn yr iaith lafar. Rydych chi'n gweld 'â' mewn llyfrau a'i **ch**lywed hi yn y capel neu'r eglwys, felly mae angen i chi ei hadnabod hi.

Like it's good friend 'gyda, 'â' means 'with' but it tends to be used more often in formal and literary Welsh than in the spoken language. You will see 'â' in books and hear it in chapel or church, so you need to be able to recognise it.

Mewn Cymraeg ffurfiol mae 'â' yn cael ei defnyddio . . .
In formal Welsh 'â' is used . . .

. . . o flaen teclyn, rhywbeth rydych chi'n ei ddefnyddio e.e.
. . . before an implement, something you use e.g

Ceisiais fenthyg chwe **ch**ant o bunnoedd gan Wncl Dic. Roedd hi fel blingo hwch â **ch**yllell bren (idiom).
I tried to borrow six hundred pounds from Uncle Dic. It was hopeless. (Literally: like skinning a sow with a wooden knife. Welsh idiom.)

Dwi byth yn talu â **ph**res parod yma.
I never pay with cash here.

. . . o flaen enw haniaethol e.e.
. . . before an abstract noun e.g.

Enillodd y wobr â **ch**anmoliaeth uchel.
He won the prize with (to) high praise.

. . . weithiau i ddangos meddiant e.e.
. . . sometimes to indicate possession e.g.

Mae o'n byw yn y stryd sydd â **th**ai mawr ynddi.
He lives in the street with (literally: which has) big houses in it.

NI, NA, ONI
(HE HO NONI NA!)

Mae Mistar Gwybod Popeth yn hoff iawn o'r negyddion mewn Cymraeg ffurfiol. Mae o'n mynnu bod y Treiglad Llaes yn dilyn y geiriau bach 'ni' a 'na' ac 'oni' mewn brawddegau negyddol.

Mr Gwybod Popeth is very fond of negatives in formal Welsh. He insists that the Treiglad Llaes follows the little words, the negative markers 'ni' and 'na' and 'oni'.

Ni **ch**lywais na **ch**erdd na **ch**anu.
I didn't hear music or singing.

Dywedodd y prifathro na **th**eithiodd o erioed ar drên.
The headmaster said that he had never travelled by train.

Nid oedd nac aderyn na **ch**wch ar y traeth (na **ch**ŵn chwaith – ni **ch**aniateir cŵn).
There was neither a bird nor a boat on the beach (nor any dogs either – no dogs allowed).

Rydw i'n methu gwneud na **ph**en na **ch**ynffon o'r llythyr hwn.
I can't (literally – fail to) make head nor tail of this letter.

Oni **ch**lywoch chi'r gwynt neithiwr?
Did you not hear the wind last night?

Mae 'ni', 'na', 'nad' ac 'oni' yn gwneud negydd ar eu pennau eu hunain. Dydyn nhw ddim eisiau 'dim'.

'Ni', 'na', 'nid' and 'oni' make a negative on their own. They don't need 'dim'.

ONI (ETO)
(UNTIL)

Mae'r mwyafrif o bobl yn dweud 'tan' sy'n golygu *until* yn lle 'oni'.
The majority of peole say 'tan' for 'until' instead of 'oni'.

Arhosais i oni **ch**ysgodd.
I waited until he slept.

Ni **ch**eidw Cymro oni **ch**ollo. (Hen ddihareb.)
A Welshman keeps (cherishes) nothing until he has lost it. (Old proverb.)

Iawn, Dreiglad Llaes, rydych chi bron â gorffen nawr. Ond cofiwch! Dydy'r sioe ddim ar ben oni **ch**anith y wraig dew.
O.K. Treiglad Llaes, you're nearly finished now. But remember! The show isn't over 'til the fat lady sings.

MYNEGAI
INDEX

Cyfres y Dysgwyr

Nofelau i ddysgwyr
gan Pat Clayton

CYFRES Y DYSGWYR 4

GOFAL DYSGWYR

PAT CLAYTON

CYFRES Y DYSGWYR 5

TRIOLEG YR ADERYN BRITH

ADERYN Y NOS

PAT CLAYTON

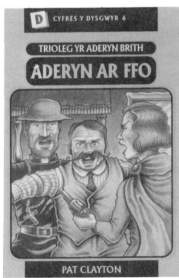

CYFRES Y DYSGWYR 6

TRIOLEG YR ADERYN BRITH

ADERYN AR FFO

PAT CLAYTON

CYFRES Y DYSGWYR 7

TRIOLEG YR ADERYN BRITH

RHYDD FEL ADERYN

PAT CLAYTON